망가진 대로 괜찮잖아요

깊은 우울에서 함께했던

책과 음악, 그리고 영화

*

이 책에서 열네 명의 글쓴이들은 우울증 혹은 깊은 우울 속에서
본 영화, 들은 음악, 읽은 책에 대해 이야기 합니다. 때로는 위로
가 되었고, 때로는 그저 함께 하여 하루를 버틸 수 있었던 작품
들에 대한 이야기들을 엮었습니다.

재은
홍성하
우엉
신지별
피치코니
호송
남연오
김현경
심정은
아름
최경석
탈해
홍유진
W

안부를 전하며,

　'위로의 예술'이라는 주제의 제안을 받고 망설였습니다. 한 작품이 위로가 되는 과정을 과연 설명할 수 있을지, 지극히 개인적인 경험과 마음이 다른 이들에게 온전히 닿을 수 있을까 스스로에 물었을 때, 나라면 공감할 수 없을 거라는 생각이 들었거든요. 절대 제대로 전해질 수 없을 거라고요. 그럼에도, 정해진 것 하나 없는 상태에 회의적인 마음을 하고도, 왜인지 일단 원고를 쓰기 시작했습니다.

　처음엔 글을 쓰면서도 제대로 가고 있다는 느낌을 못 받았습니다. 다만 위로의 길을 되짚는 일은 저에게 많은 도움이 됐습니다. 모호하게 머릿 속에 남아있던 해결되지 않은 시간이 글이라는 실체를 입으니 제가 지나온 감정의 궤적이 보였습니다. 거기엔 내가 그냥 여기까지 살아져버린 것도, 맨몸으로 여기까지 건너올 수 있었던 것도 아니라는 증거가 가득했습니다. 지난 시간을 이해하려고 기억을 되짚어보니, 그 안에 수많은 당신들과 별처럼 아름다운 밤이 있었습니다.

언젠가 제가 굉장히 좋아하는 사람과 시간을 보내고 집에 가는 길에 시집을 펼쳤는데 도저히 읽히지 않아서, 그에게 메세지를 보냈습니다. "기분이 너무 좋아서 시를 읽을 수가 없어요." 시집과 친해진 건 정말 힘들다고 느꼈을 때 였습니다. 그런데 그 기분 좋던 날에는 시 한 구절 진심으로 받아들이기가 어려웠습니다. 위로가 필요할 땐 시가 최고의 안정제였는데 말이에요. 상처를 주는 건 분명 어떤 식으로든 사람이지만, 위로를 받을 길도 사람뿐이라는 게, 그런 생각이, 들었습니다.

책을 함께 만드는 현경이 저어두었던 "가장 경멸하는 것도 사람, 가장 사랑하는 것도 사람. 그 괴리 안에서 평생을 살아갈 것이다."라는 소설 〈피프티피플〉의 글귀를 좋아합니다. 한 눈에 좋아하게 됐어요. 종종, 꽤 자주 떠오르는 문장입니다. 나는 당신을 참 사랑해서, 자꾸만 미워지는 나를 붙잡고 싶어집니다. 사랑하는 것들을 위해 꾹 참고 살아내는 순간들이 많으니까요.

위로 받은 순간들을 돌아보면 그 안에서 조금 더 사랑스러운 당신들을 발견하게 됩니다. 지금의 우리를 만든 시간들을 거의 잊을 뻔했다는 사실도 함께 떠오르고요. 좋아요에 인색했던 나는 요즘 이례적으로 많은 좋아요를 보내고 있습니다. 분명 이전에는 좋다고 생각하지 않았던 것들이, 당신들의 취향과 그 존재가, 새삼스레 눈에 띄기 시작했습니다. 무심코 지나치던, 너무도 익숙해져버린 당신들이 여전히 내 곁에 있다는 사실에 새삼스레 웃음이 났습니다.

만나면 오래도록 함께 노래를 듣는 사람이 있습니다. 가끔 혼자 있을 때 같이 들었던 노래가 흘러나오면, 우리가 나란히 앉아 보낸 그날의 분위기가 포근하게 피어올랐습니다. 그게 위로의 전부이기도 했습니다. 어쩌면 이런 우리의 글은 당신에게 아무 소용 없을지도 모릅니다. 각자 가진 우울의 모양은 무엇 하나 같은 게 없을 테니까요. 다만 다른 모양의 삶이 당신의 감정을 이해하는 데에 하나의 역할을 하길 바라며 내 위로를, 우리의 위로를 건넵니다.

2018년 10월,
재은

이야기 순서

괜찮다고 말해줘요

타인의 삶이 나를 위로할 때 ─────

— 플로리안 헨켈 폰 도너스마르크 감독 **타인의 삶**

— 이와이 슌지 감독 **립반윙클의 신부**

— 김현석 감독 **광식이 동생 광태**

우리 서로가 되어주기로 해요

―
재은

―
플로리안 헨켈 폰 도너스마르크 감독 **타인의 삶** 영화, 2007

아픔을 오롯이 혼자 책임질 수 있는 사람은 없다. 감당할 수 없어서 결국 아프게 되었으니까. 혼자서는 차마 채울 수 없는 새벽이 있다. 텅 빈 하루가 있다. 예술이 사람을 위로한다는 건, 결국 누군가의 삶이 나를 이해하고 어루만져 준다는 가장 일반의 위안이다. 그래서 우리는 그렇게도 서로의 삶을 묻고, 나누고, 그걸로도 부족해 책을 펼치고, 음악을 듣고, 영화를 보고, 또 다른 무언가를 찾아 헤맨다. 나에게 꼭 맞는 이야기를 만나 마음 내어주고 엉엉 운다.

우리는 서로에게서 얼마나 독립적일 수 있을까. 그래도 되긴 하는 걸까. 나는 당신의 삶에 얼마나 깊숙이 들이갈 수 있는 걸까. 그래도 되긴 하는 걸까. 당신에게 물을 수도, 끝내 스스로 해결하지도 못할 그런 물음이 있다. 나는 당신에 위로가 될 수 있을까. 가끔은 누군가의 어깨너머로 경험하는 익명의 삶 자체가 나를 이해하고 위로하는 것만 같다.

영화 〈타인의 삶〉 주인공은 동독 비밀정보국에서 예술가들을 감시, 도청하는 역할을 맡은 인물이다. 그는 당의 지시에 묵묵히 따르는 모범적인 인물이었으나, 감시하던 예술가의 삶에 빠져들게 되고, 당의 지시를 어기고 예술가를 돕는다. 결국 그는 좌천되고, 예술가는 통일 뒤에 이름 모를 누군가 자신을 지켜줬다는 걸 알게 되어 그 이야기를 책으로 만든다. 훗날 그는 서점에서 책을 구입하며 "이 책은 절 위한 겁니다." 말한다.

첫눈에 멋지다고 생각한 사람이 있었다. 열 살 정도 차이가 났는데, 그가 하는 일이 참 대단해 보여서 동경을 담아 바라봤다. 나도 언젠가는 그처럼 멋진 작업을 할 수 있을까, 현재의 상황을 탓하며 그에게 당시의 나를 한탄했다. 스스로를 깎아내리는 나에게 그는 이전의 시간을 이야기했다. 내가 투정한 그대로의 모습을 한 어린 시절의 그가 회사에서 몇 시간이고 앉아 작업하던, 그 지루한 하루의 반복을. 나는 내내 그를 보고싶은 대로만 보고 있었구나. 그가 지금에 닿기 전에, 나를 만나기 전에 지나왔을 시간을 나는 함부로 지나쳐버렸다. 마치 그가 처음부터 이 자리에 서있기라도 했던 것처럼, 그의 노력은 세지 않은 채였다.

그 부끄러운 날이 한동안 마음에 남았다. 얼마나 어리게 보였을까. 현재에는 늘 핑계뿐, 노력도 없이 한 번에 멋진 결과로 시작할 수 있을 거라 생각하는 뻔뻔함. 참 오래도록 작은 세상에 갇혀 살았다. 편협한 시선에 갇혀 스스로를 업신여겼다. 과정을 부끄러워했던 마음에 대한 부끄러움이 한동안 나를 쑤셨다. 그저 흐를 뿐인 시간에 기대고 있어서는 어디로도 갈 수 없어서, 원하는 모습이 되기 위해 무거운 엉덩이를 힘껏 들썩여야 한다는 사실을 당신 덕에 뒤늦게 깨달았다.

비즐러가 예술가를 도왔던 이유는 본인의 삶에 대한 욕망과 희망을 타인의 삶에서 보았기 때문이 아닐까. 나는 당신들을 통해 나의 일부를 발견하고, 이해 가능한 삶의 범위를 넓힌다. 겪어본 적 없던 힘든 시간을 마주할 방법을 배운다. 비즐러가 자신을 위한 책이라는 말을 한 것도, 예술가를 도왔던 것도 사실 스스로를 살리기 위해서 였는지 모른다. 이 영화를 많이도 추천하고 다녔다. 우리가 서로의 바깥이 되었으면 좋겠다고 말하고 다녔다. 나를 짓기 위해 당신이 필요하다는, 당신의 일부분이 내 안에 필요하다는 이야기였고, 타인의 삶이 너를 위로하게 해주기를 바라서 그랬다. 당신에게 위로받았듯 내기 당신의 밖이자 안이 되었으면 하는 마음으로.

꽁꽁 묶인 검은 봉투를 들고
새벽을 걸으며

김현경

내가 3년째 살고 있는 곳은 성북구 월곡동.

'서울에 이런 동네가 다 있어?' 싶을 정도로 사람 사는 조용한 동네다. 가끔 누군가 "월곡동이 어디에요?" 물으면 "6호선으로 고려대 역 다음 역이에요." 답한다. 대부분 작은 옛날 건물들이 모여있고 아파트 몇 단지가 있다. 지난해 여름까지도 창문 너머로 집집마다 있는 반지하 미싱 공장에서 미싱기 돌리는 소리가 났다. 종횡의 내부순환로가 만나는 지점에 고가도로가 동네를 감싸고 있어 오래된 건물들의 동네와 조금 이질적인 느낌이 든다. 동덕여대 근처에는 대학가치고는 작은 상권이 형성되어 있고, 그 앞 오거리에는 '옴마니반메홈'이라는 글자가 적힌 알 수 없는 비석과 그 뒤에 커다란 절이 있다. 처음 오는 사람들은 꽤 이상한 느낌의 동네라 생각힐 것이다.

월곡동에서의 첫 번째 해 여름이 될 즈음, 디자인 일을 받던 회사에서 일을 받지 않으면서부터 밖에 나가지 않았다. 그때 깊은 우울에 집 밖으로 나가지 않던 나와 내 상태를 전혀 이해하지 못하는 사람들, 그러니까 "밖에 나가서 햇볕 쐬면 덜 우울할 거야." 하는 말들을 늘어놓던 주변 사람들이 있었다. 물론 나쁜 의도로 한 말은 아니었겠지만. 말하지 않으면 공감할 수 없다는 것을 알면서도 말하고 싶지도 않았다. 주변 사람들에게 "우울증이란 이런 거야." 쉽게 말하기 위해 만들었던 책이 〈아무것도 할 수 있는〉이었다. 우울증을 겪었거나 겪고 있는 스물다섯 명의 이야기를 모은 책이고, 그 사이사이 있는 테마 중 '위로의 예술'이라는 부분이 이 책의 전신이다.

아마 내가 가장 어두웠던 때가 그 책을 만들기 직전과 그때일 테다. 당시에는 저녁에 일어나 대충 한 끼를 때우고 컴퓨터 게임을 하다 아침 무렵 혼자 술을 마시고 잠드는 게 일상의 전부였다. 날씨가 쌀쌀해지고 책을 만들기 시작하면서도, 하는 일이 있다는 점 외에 삶의 패턴은 크게 달라지지 않았다. 가끔 인터뷰를 하고, 한 달 내내 집 안에 틀어박혀 원고를 받고 편집하는 일을 주로 저녁과 새벽에 했다. 우울증을 고백하는 이들의 원고 날것에서 오롯이 전해지는 외로움, 슬픔, 아픔 같은 것들을 핑계로 해가 뜰 무렵에 막걸리나 맥주를 마셨다. 물론 끼니도 불규칙적이었다. 주로 새벽 두세 시쯤에 터덜터덜 걸어나가 스물네 시간 운영하는 김밥집에서 돈가스나 김밥 같은 것들을 사다 집에서 먹었다.

그 가을, 〈러브 레터〉의 이와이 순지 감독의 신작

〈립반윙클의 신부〉가 개봉했다. 소심한 성격에 SNS에 집착하고, 갈 곳마저 잃게 된 주인공 '나나미'에게 벌어지는 일들이 이 영화의 중심 내용이다. SNS에서 만난 남자와 '인터넷 쇼핑하듯 쉽게' 결혼하고, 또 전화로 쉽게 이혼한다. 그때 나나미는 짐을 끌고 나와 어디론가 전화를 걸어 "어디로 가야 하죠? 여기가 어딘지 몰라서요." 말한다. 그때의 나도, 내가 있는 곳이 어딘지 알 수 없어, 언제나 누군가에게 어디로 가야하는지 묻고 싶어졌다.

이곳저곳 흘러 나나미가 도착한 곳은 어느 저택이었다. 이곳에서 만난 수상한 여자(여자의 정체를 말하면 스포일러가 된다.)는 자신의 깊은 우울을 고백하며 이렇게 말했다. 가게에서 점원이 자신을, '나 같은 것'을 위해 과자를 담으며 분주하게 움직이는 손에서 고마움을 느낀다고, 원하는 곳까지 짐을 옮겨주는 택배 직원, 가끔 길에서 우산을 씌워주는 모르는 사람에게도 너무나 고마워 눈물이 날 것 같다고.

다시 그때의 나로 돌아와, 굳이 음식을 포장해 와 집에서 먹은 이유는 밖에서 사람들과 마주치고 싶지 않아서였다. 그래서 처음에는 꾀죄죄한 모습으로 새벽에만 나타나는 나를 보고 환히 웃으며 "또 왔어?" 반겨주시고, 가끔 어깨를 토닥여주시는 김밥집의 '이모'가 불편하게 느껴졌다. 새벽에 첫 끼를 때우러 갈 때마다, 가서 먹어야 나오는 반찬을 집에 가서 먹으라며 더 챙겨주시곤 했다. 누군가의 친절이 나에게, '나 같은 것'에겐 어울리지 않는 일이라 생각했다.

어느날은 돈가스를 담은 검은 비닐봉지를 너무 꽁꽁 묶어주시길래 "집이 바로 앞이라 그냥 주셔도 돼요." 말했다. 그러자 이모는, "따뜻하게 먹어야 맛있어. 조금이라도 맛있게 먹어." 답하셨다. 나는 집에 가는 길 내내 꽁꽁 묶인 검은 비닐 봉투를 보다가, 그 봉투를 사진도 찍었다가, 결국 집 앞에서 엉엉 울고야 말았다. 너무 고마워서. 누구에게도 친절이나 사랑이나 관심 같은 걸 받을 자격 없다 생각한 '나 같은 것'에게도 언제나 같은 친절을 베풀어주는 사람이 있다는 사실이 고마워 울었다. 나나미가 만난 수상한 여자가 말했던 것처럼 말이다.

지난 봄, 오랜만에 새벽 시간에 김밥집에 들렀다. 마지막으로 갔던 게 언제인지 기억이 나지 않을 정도였는데, 김밥집 이모는 "엄청 오랜만에 왔네!" 하며 반겨주셨다. 여느 때처럼 반찬도 다 먹지도 못할 만큼 한가득 챙겨 주시며 등을 톡톡 두드려주셨다. 꽁꽁 묶인 검은 봉투가 떠올랐지만, 나는 차마 말로 "고마웠습니다." 전하지 못했다. 그렇게 말한다면 왈칵 눈물이 날 것 같았다. 조용히 밥을 다 먹고 밖으로 나와 마트에서 만 원짜리 음료 세트를 샀다. 그리고 그 앞에서 공책을 한 장 찢어 짧은 편지를 썼다. 처음 뵈었을 때가 우울증이 심할 때였다고, 식지 말라고 매어주신 매듭 덕에 그때 만들던 책도 잘 만들어졌고, 지금껏 잘 지내고 있다고, 감사하다고. 그리고 그 편지와 음료 세트를 "읽어보셔요." 하고 드리며 도망치듯 김밥집을 나왔다.

요즘에도 가끔 잠들지 못하는 새벽에 밥을 먹으러 갈 때면, 반겨주시고 어깨를 톡톡 두들겨주신다. 때로는 점심에 먹을 김밥까지 싸주신다 하시고, 술에 취해 집으로 가는 길에 마주치면 웃으며 조심히 들어가라 인사해주시는 분이다.

그러고 보면 나고 자란 동네도 아니면서 월곡동 사람들에게 많이도 베풂을 받았다. 꼼짝 않고 작업을 하는 나에게 쉬엄쉬엄 하라며 볼 때마다 내 건강을 걱정해주시는 카페 이모, 먹을 걸 나누어주시던 집 앞 식당 사장님, 혼자 국밥에 막걸리를 마실 때 말동무가 되어주시던 기사식당 아저씨, 편의점 앞에서 혼자 맥주를 마실 때 안주와 함께 먹으라며 직접 오징어를 사서 주시던 아르바이트 할아버지, 언제나 과할 정도로 반겨주시는 생명의 전화(《아무것도 할 수 있는》의 수익금은 이곳에 기부된다.) 구성원 분들.

쑥스러 차마 고맙단 말을 전하지 못했지만 떠올려보면 고맙고, 고마웠던 사람들이 많다. 잘 알지 못하는 겨우 나라는 사람을 위해 반찬을 내어주고, 울고 웃어주고, 공감의 말을 전하고, 안아주던 사람들 말이다. 그 턱에 여전히 밥을 먹고, 글을 쓰고, 책을 만들고, 길을 나서 다른 사람들과 지내고 있다.

문을 여는 방법

최경석

김현석 감독 **광식이 동생 광태** 영화, 2005

한 사람이 다른 사람에게 호감을 느끼는 경우는 두 가지뿐이다. 첫 번째는 내가 가진 것과 비슷한 동질감 때문이고, 두 번째는 내가 갖지 못한 부분에 대한 동경심 때문이다. 이 양극단의 것들이 골고루 섞여 나를 흔들어 놓았던 영화가 있다 바로 김현석 감독의 〈광식이 동생 광태(2005)〉다.

　어딘지 모르게 어수룩한 형 광식과 출처불명의 자신감이 넘치는 동생 광태. 둘은 이름을 뺀 모든 부분에서 극명하게 다르다. 7년 동안 한 여자를 짝사랑하는 광식과 12번을 자기 전에 다른 여자로 갈아타는 광태. 그들은 형제라는 울타리가 없었더라면 한평생 만날 일이 없을 성질의 사람들이다.

　이 영화의 크레딧이 올라갈 때 나는 한없이 어수룩한 성격과 뿔테 안경을 낀 모습이 광시에게 몰두하고 있었다는 걸 깨달았다. 당시의 나는 나름 인생의 풍파를 일으킨 짝사랑의 실패로 지나쳐간 상대를 삼시 세끼 챙겨

먹듯 그리워하고 있었다. 마치 쓸쓸히 위스키를 꺼내 먹는 영화 속 인물처럼 슬플 때마다 이 영화를 꺼내 보았다. 스스로 직시하지 못했던 감정을 "자, 당신 이런 마음이었죠?"하며 대신 털어놓아 주었기 때문에.

넌지시 던진 그의 질문이 나의 삶과 연결되는 지점에서 우리는 영화에 훌쩍 빨려 들어간다. 감정.

은 단어가 될 수 없다. 사전에 있는 무수하게 많은 단어들도 겨우 그 언저리쯤에 도달할 뿐 감정 그 자체에 다가설 순 없는 법이다. 그렇기에 우리는 처참히 무너지는 하루에 노래와 시 그리고 영화와 같은 위로를 찾는다. 그들이 이 감정을 설명해주길 바라며.

나도 별반 다르지 않았다. 한동안 나는 누군가를 만나는 일보다는 이어폰을 통한 세상과의 단절을 선택했다. 정처 없이 거리를 배회하기 바빴고, 거칠게 헤집던 수많은 시들조차 당시의 감정을 대변해주지 못했다. 온전한 나의 감정을 호소하기 위해 시를 적기 시작했다. 딱 그 정도까지가 내가 가진 몫이었다. 이 영화를 본 날은 하루를 위로해줄 무언가가 극도로 필요했다. 그리움이 만개한 어느 날이었다. 돌이켜보면 그리워할 상대가 있다는 것은 어쩐지 행복한 일이라고 생각한다. 다만 그 행복은 환희가 아닌 적적에 가깝다. 혼자 술을 먹거나 산책을 할 때 두고두고 사색에 잠길 핑곗거리가 되어주기 때문이다.

감정은 남아있지 않지만 드문드문 떠오르는 사람이 있다. 나는 그때마다 움츠러든다. 학창시절을 여러 뭉텅이로 나누어 본다면 가장 큰 덩어리는 짝사랑일 것이다. 다만 단절된 세상에서 나를 끄집어내준 것은, 광식의 짧은 독백과 그가 부른 〈세월이 가면〉이었다.

—인연이었을까? 아닌 건 아닌 거다. 될 거라면 어떻게든 된다. 7년 넘게 그녀를 마음에 품고 있었으면서도, 정작 그녀와 이루어질 거란 생각을 해본 적이 없다. 어쩌면 나는 그녀를 생각하고 그리워하는 바보짓들을 즐겼는지도 모른다. 그게 짝사랑의 본질이다. 이제 더 이상 바보짓 않는다.

그때 배웠다. 마음은 붙잡는 것이 아니라 놓아주는 것임을……

광식이 투박한 목소리로 부른 〈세월이 가면〉 만큼 진실된 호소를 여태껏 나는 들은 적 없다. 그는 7년 간 응어리져있던 마음을 그세야 털어놓는다. 물론 그의 고백은 가사말 뒤에 가려져 있기에 그 진심은 광식 자신만을 향한다. 가령 학창시절 좋아하던 아이에게 말 한마디 못 걸고 졸업했더라면 그 떨림은 얼마나 진실된 것인가. 광식의 노래는 그 떨림과 닮아있다.

진심이란 만개한 꽃보단 그들을 지탱해줄 수 있는 흙의 성질에 가깝다. 그 성질의 색은 차갑고 따뜻한 사이, 그 중간쯤 될 것이다. 화려할지는 모르겠으나 묵묵히 지탱할 수 있는 그런 삶에 가까웠으면 한다. 그게 이 영화에 호감을 느꼈던 가장 큰 이유였다.

호감의 동의어는 연민과 질투라고 생각한다. 동질감이라는 단어로 포장한 광식의 모습은 어수룩한 나의 모습을 대변한다. 광식의 답답한 행동을 바라보며 마치 나 자신을 전지적으로 지켜보는 듯한 기분이 들었다. 그를 동정하는 것은 사실 나에 대한 연민이었다. 더불어 혀를 끌끌 차며 바라보던 자유분방한 광태의 모습은 내게 결여된 것에 대한 질투라는 걸―물론, 부정하고 싶지만―나는 안다.

인상적인 장면이 있다. '당기시오'라는 문구를 마주한 뒤 나오는 둘의 행동은, 결국 각자가 지닌 관계의 방식을 담고 있다고 생각했다. 잠깐 멈춰 선 뒤 문을 당기고 들어가는 광식과 앞만 보고 직진하는 광태. 우리가 주목해야 하는 것은 그들이 문을 대하는 태도가 아니다. 그들은 결국 문을 열고 들어간다는 사실이다. 광식도 광태도 결코 안주하거나 뒤로 물러나지 않는다. 다만 각자의 방식에 충실할 뿐이다.

문 너머에 무엇이 있는지 우리는 알 수 없다. 다만 문을 열고 받아들이는 진실이, 열지 않은 경우보다 훨씬 적은 고통과 후회를 수반한다. 문지방 하나 넘을 용기가 있었더라면, 그게 무엇이든 사뭇 다른 결의 추억을 갖지 않았을까. 이제는 그럴 수 있다는 확신이 든다. 한때의 나처럼 문 앞을 서성이며 머뭇거리는 이가 있다면 이렇게 말해주고 싶다. 문을 여는 방법은 손잡이를 잡는 것뿐이라고.

──

함께 추천하는 다른 작품들

최호섭 **세월이 가면** 음악, 1998

혼자가 아니라 ————————————

— 정재은 감독 **고양이를 부탁해**

— 데이비드 O. 러셀 감독 **실버라이닝 플레이북**

— 조나단 데이턴, 발레리 페리스 감독 **루비 스팍스**

— 알폰소 쿠아론 감독 **그래비티**

내 청춘의 안부를 전합니다

홍성하

정재은 감독 **고양이를 부탁해** 영화, 2001

올해, 그러니까 2018년 1월에 나는 이 17년 전의 영화를 처음으로 보았다. 눅눅하다고 해야 할까, 아니면 건조하다고 해야 할까. 말하자면 바닷바람에 말린 생선처럼 꾸덕꾸덕한 영화였다. 이 영화가 묻혀놓고 간 비린내 같은 슬픔이 한동안 빠지질 않았다.

영화는 이십 대 초반의 여고 동창 다섯 명의 이야기를 다루고 있다. 그중 핵심이 되는 인물은 서울의 증권회사에 다니는, 출세 지향의 깍쟁이 혜주, 디자인 계통의 꿈을 가지고 있지만 늙은 조부모와 무허가 판잣집에 사는 생활 속에서 점점 쪼그라드는 지영, 교양 없고 권위적인 아버지 밑에서 잡일을 하며 특별한 계획 없이 살면서도 항상 배를 타고 멀리 떠나는 상상을 품고 있는 몽상가 내희까지 셋이나. 17년이라는 간극에도 불구하고 세 명중 적어도 어느 하나, 혹은 셋 모두에게서 조금씩, 우리는 우리와 닮은 모습을 발견할 수 있다. 그래서일까? 특별한 서사 없이 세 청춘이 처한 처지와 그들 주변의 관계만을 비추는, 삽화처럼 작은 에피소드들의 나열로 러닝

타임의 대부분이 채워져 있는데도 이 영화가 가진 인력은 대단하다. 물론 이 영화가 그렇게 잡아끈 관객의 마음을 데려가는 곳이 결국 소소한 비극과 무책임한 희망이 혼재되어 있는 엔딩 신뿐이기는 하지만 말이다.

언젠가 내 청춘을 두고 '맞은 자리에 고이는 핏물처럼 새파란 봄날'이라고 적은 적이 있다. 뽐내자는 건 아니지만, 부유하는 젊음, 가난한 청춘, 선택한 적 없거나 선택해야만 하는 일들에 의해 등을 떠밀리며 살아가는 이십 대의 이야기라면 나도 할 이야기가 많다.

그러나 막상 어디 가서 그 이야기를 제대로 풀어본 적은 없다. 입을 뗄라치면 가진 슬픔이 너무 무겁거나, 막연하거나, 유치하게 느껴졌기 때문이다. 다만 남들도 그렇게 젊은 날들을 견디고 있으리라 생각했다. 벌이를 하는 사람이 가족 중 아무도 없었지만 아직 끼니를 걸러야 할 정도는 아니었고, 제정신인 사람도 없었지만 목을 맨 이는 아직 없었으니, 불행하다 해봐야 평범한 불행이라 생각했다. 가끔 울더라도 곡성을 터트리는 대신 입술을 깨물며 웅얼거리는 데 그쳤던 것도 그 탓이다. 힘들어, 외로워, 무서워. 이 흔한 괴로움은 말해봐야 어디 닿지도 않을 것이라.

그래, 그랬다. 아프니까 어쩌고 하는 제목의 책이 베스트셀러로 꼽힐 때마다 분노하면서도 정작 그 화를 입 밖으로 내보지는 못했다. 어쩌면 그 말이 맞을지도 모른다는 생각에 주눅이 들었기 때문이다. 다들 너만큼은 아프고 모자라니, 탓할 것이 있다면 언제나 너의 노오력 부족 혹은 유약함뿐일지어다. 그 값싼 훈계를 거의 섬기듯 믿었다. 때로는 내 괴로움이 충분히 커다랗지 않다는 생각이 나를 더 괴롭게 했다면, 그것도 사치스러운 이야기일까? 이십 대 초반의 나는 그런 식으로 스스로의 슬픔을 삼켰다. 그렇게 외로워졌고, 어느 순간부터는 외로움이 삼킨 슬픔보다 거대해졌다.

어느 대형 포털사이트에 이 영화의 제목을 검색해보면, 2004년도에 어느 스무 살이 남긴 리뷰 하나를 발견할 수 있다. 그녀(그?)는 이 영화에 대해 '마음에 들지만, 마음에 안 드는 영화'라는 평을 내렸다. 이 영화는 내 모습을 그리고 있는 것 같지만 도움을 주지는 않는다, 어두운 내용조차 멋을 부리는 것만 같다, 같은 상황에 놓인 나를 더 우울하게 만드는 이 영화가 밉다……. 그녀가 내리는 혹평은 신랄하기까지 하다. 그러나 그 모진 말들 사이에 섞여있는 그녀 자신의 이야기에서, 나는 낯익은 고독과 혼란을 읽는다. 아, 그녀는 분명 혜주와 지영과 태희의 모습을 조금씩 닮아있다. 그리고 어쩌면 너와도.

그런 생각을 한 것이 나뿐은 아니었던 모양이다. 리뷰의 댓글을 살펴보면 사람들이 그녀에게 붙는 안부 인사가 가득하다. 2001년의 영화에 대해 리뷰를 남긴 2004년의 스무 살에게, 2006년의 누군가가, 2008년의 누군가가, 2011년, 2016년, 2018년의 누군가가 안부를 묻는다. 지금은 좀 어떠세요? 안녕하세요? 스무 살이거나 스무 살이었던 사람들이, 지금은 아마 서른넷이 되었을 오래전의 스무 살에게 자신의 청춘에 대해 이야기하고 있는 것이다. 사실은 나도 그녀에게 안부를 묻고 싶었다.

사실 그녀의 말마따나, 이 영화는 아무런 도움을 주지 않는다. 현실의 청춘들은 고사하고 당장 혜주와 지영, 태희조차 구원하지 않은 영화가 아닌가. 담담하게 그려낸 잿빛 젊음이 들여다볼수록 숨이 막힐 뿐, 지침은커녕 위로조차 되어주지 않는다. 그러나 2001년에도, 2002년과 2004년, 2008년과 2018년에도 누군가는 이 영화를 보았고, 괴로워하면서도 이 영화와 사랑에 빠졌다.

질식하는 청춘들이 그랬다. 한 번도 슬픔을 토해내본 적 없는 각 해의 스무 살들이, 이 영화의 곁으로 모였다. 혜주와 지영과 태희의 옆에 앉았다. 내용은 제각각이나 뱉으면 어딘가 서로 닮은 괴로움을 이야기했다. 물론 아무도 말하지 않고 아무도 듣지 않았지만, 분명히 모두가 말하고 모두가 들었다. 이 영화는 그런 대화를 가능하게 했다. 그리고 나는 어쩌면 그것이 외로운 청춘들에게 필요한 전부일지 모른다는 생각을 한다. 위로나 훈계 대신 듣고 말할 자리가 되어주는 일.

그래, 이 영화를 보고 한동안 나는 영화의 습도와 냄새에 곤혹을 치렀다. 너무 낯익은 고독과 비애가 방 안에 아주 오래 머물렀다.

아, 그럼에도 사랑할 수밖에. 내 슬픔을 말할, 내 외로움을 알아줄 아주 드문 자리가 거기 있으니.

우리는 어딘가 조금씩 비정상이기에

___

호송

"

당신은 사람처럼 사는 걸 무서워하지.
위선자에 비겁자에 거짓말쟁이라고

"

___

데이비드 O. 러셀 감독 **실버라이닝 플레이북** 영화, 2013

커피를 두 잔 이상 마신 날은 밤새도록 SNS를 열었다 닫는다. 피드를 새로고침 할 때마다 새롭게 올라오는 주변 사람들의 소식이 끊기는 새벽 시간이 되면 한없는 우울에 빠져든다. 타인의 생활을 엿보다가도 이 가상의 공간에서나마 누렸던 누군가와 연결되어 있다는 느낌이 완전히 끊길 때, 나는 하염없이 천장을 바라보며 혼자라는 외로움에 몸부림친다.

누구와도 연결되어 있지 못한다는 고독감. 나도 원인을 모르는 이 공허함과 불안함에 대해 이해해줄 사람이 어디에도 없을 것 같다는 그 느낌은 나를 새벽의 저 끝까지 잡아끌어 헤어나오지 못할 늪으로 빠뜨린다. 어느 날 비행기에서 숨 막힐 듯한 고통을 느낀 후로 나는 병원을 찾았고 그곳에서 많은 사람들을 보았다. 나와 같은, 아니 전혀 다른 고통 속에 살아가는 사람들을 보며 나는 아이러니하게도 외롭지 않다는 생각을 하게 됐다.

〈실버라이닝 플레이북〉은 좋은 로맨틱 코미디이면서 동시에 정신적 질병을 앓고 있지 않은 사람들에게는 훌륭한 정신과적 안내서가 된다. 대부분의 사람들은 주인공인 두 남녀의 고통에서 비롯된 편집증, 우울증, 분노조절 장애 등의 행동에 집중하지만 사실 이 영화에서 등장하는 많은 사람들은 조금씩 정신적 질환을 앓고 있다. 주인공 팻(브래들리 쿠퍼)의 아버지는 미신에 집착하며 항상 형과 팻을 비교한다. 그의 어머니는 작은 일에도 금방 눈물을 흘리며 감정이 과잉된 행동들을 보여준다. 심지어 그의 정신과 의사마저도 어쩌면 심각해 보일 수 있는 미식축구 팬 활동을 하고 있다. 그들은 모두 팻을 비정상이라 말하고 팻은 자신이 괜찮다고 말한다.

사랑하는 사람을 사고로 잃은 티파니는 조금 과격하지만 솔직하게 팻에게 자신이 원하는 것을 요구한다. 티파니를 부담스러워하던 팻은 티파니에게 "나는 당신과 다르다"고 말하고 티파니는 크게 분노하며 팻을 비난한다. 팻은 그동안 팻의 부모님이 자신들도 가지고 있는 감정의 문제는 뒤로하고 팻을 비정상처럼 대하는 상황에서 벗어날 수 없었다. 스스로를 계속 '다 나았다'고 말하며 현실을 피하려 했던 이유도 '나도 남들과 다르지 않다'는 생각 때문이었을지 모른다. 그러나 티파니는 '나도 당신과 같다'는 것을 '우리는 모두 정상이 아니라 모두 약간은 비정상'이라고 하는 형태로 보여준다. 우리는 모두 어느 정도 정신적인 문제를 지니고 있고, 그 문제를 가지고 있는 것은 당신의 잘못이 아니라고 말한다. 티파니의 이런 행동을 통해 팻은 자신의 모습을 있는 그대로 솔직하게 바라볼 수 있게 된다.

현대인들 중 많은 사람이 우울증과 같은 문제를 겪고 있지만 실제로 도움을 받는 경우는 많지 않다. 특히 한국 사회에서는 정신과 진료에 대한 부정적인 인식 때문에 병원 문턱을 넘는 것조차 쉽지 않다. 어쩌면 우울증 환자들은 남들과 다른 비정상인 사람들이 아니라 자신의 상태를 솔직히 인정한 단계에 있는 사람인지도 모른다. 나는 요즘 내 가족과 사회에서 만난 사람들, 그리고 내가 아끼는 친구들과의 문제를 새로운 시각에서 바라보기 시작했다. 나를 괴롭게 하는 부모님의 잔소리는 대화가 없었던 우리 가족이 가지고 있는 소통 장애이며, 나를 힘들게 하는 팀장의 변덕과 분노표현은 그가 지닌 또 다른 장애라는 생각이 들었다. 다만 그들은 아직 본인의 어려움을 깨닫지 못해 스스로도 어쩔 수 없는 것 아닌가 싶었다. 우울과 같은 통증을 나만 겪고 있는 것처럼 느끼는 동안 누구에게도 털어놓지 못할 것만 같았던 외로움도 조금은 줄어들기 시작했다.

현실은 영화와 달라서 〈실버라이닝 플레이북〉의 등장인물들처럼 명확한 문제를 가진 사람들만이 존재하지는 않을 것이다. 다만 완벽한 사람은 없기에, 진단을 받지 않았더라도 누구나 감정의 문제로 어려운 시간을 겪으며 살아간다는 걸 인정한다면 우리는 서로를 상처 입히지 않고도 상대를 있는 그대로 받아들일 수 있지 않을까.

———

함께 추천하는 다른 작품들

스티븐 크보스키 감독 **월플라워** 영화, 2013
크리스 웨이츠, 폴 웨이츠 감독 **어바웃 어 보이** 영화, 2002

나의 파도 위에서
함께 춤출 사람을 찾는다.

호송

"

서로 어느 정도는 거리가 있어야지.

안 그러면 둘이 너무 똑같잖아.

"

조나단 데이턴, 발레리 페리스 감독 **루비 스팍스** 영화, 2018

우울증을 비롯한 감정적 질병의 주요한 증상 중 하나는 스스로의 감정을 통제하기 어렵다는 것이다. 주변 사람들이 내뿜는 감정적 공기와 호르몬의 이상을 가져오는 계절의 뒤바뀜은 우울증을 가속화하지만 피할 수 있는 외부 환경일 뿐이다. 어쩔 수 없는 건 스스로도 이해할 수 없는 자기 안의 변화이다. 그곳에는 납득할 만한 이유가 없다.

우울증을 가진 사람에게 연애란 이해할 수 없는 내 자신만큼이나 통제 불가능한 상대방을 만나는 사건이다. 영화 〈루비 스팍스〉의 주인공은 소설가로 젊은 나이에 큰 성공을 거두었지만 차기작을 전혀 쓰지 못하고 있다. 그는 정신과의 상담을 받으며 책을 쓰지 못하는 이유를 찾아보지만 생각나는 건 실패한 과거의 연애뿐이다. 연애뿐만 아니라 인간관계에 어려움을 겪는 소설가인 주인공은 어느 날 완벽히 통제할 수 있는 사랑스러운 사람을 창조해낸다. 절대 배신할 일도 없으며, 나의 기분에 따라 사랑스러운 연인 혹은 매혹적인 이상형이 될 수도 있는 '루비'를 통해 그는 다름 아닌 스스로를 통제해간다.

어떤 사람들은 마음이 바다와 같아 바람이 불어오면 파도처럼 크게 요동친다. 스스로의 힘으로 억제할 수 없는 이 파도가 주변의 것들을 모두 먹어 삼킬 때까지 아무것도 할 수가 없다. 하지만 파도가 없는 바다는 아무것도 창조해 낼 수가 없다. 세상은 언제나 양면을 가지고 있다. 루비가 바람이 되었을 때 영화 속에서는 태풍이 불어닥친다. 결국 그는 진정한 관계란 통제가 아닌 적응과 변화라는 걸 알게 되고 새로운 사람을 만날 힘을 얻게 된다.

내 지난 연애는 통제할 수 없는 상대방에 대한 구속의 욕구였으며, 그 방법은 노력이었다. 내가 더 잘하고, 더 좋은 사람이 된다면 상대방은 떠나가지 않으리라 생각했다. 어떻게 하면 그가 만족할 만한 사랑을 줄 수 있을까에 대한 고민들과 스스로 더 멋진 사람이 되기 위한 노력으로 감정적 에너지는 점점 소모되어 갔다. 그와의 이별 후 한동안은 사람을 만나는 것이 어려웠다. 다시 사랑을 하더라도 같은 결과가 있을 것만 같았다. 통제가 불가능하다면 통제가 필요한 영역으로 아예 들여놓지 않겠다고 다짐했다. 하지만 눈에 들어오는 사람을 막을 수는 없었고, 창밖에 비추는 도시의 차가운 불빛 아래 밤새 찾아드는 외로움은 누군가의 온기를 찾게 만들었다.

아무와도 만나고 싶지 않은 마음과 누구라도 만나고 싶은 충동 속에서 이 영화를 접했을 때, 다시 한번 누군가를 만날 용기와 제대로 된 사람을 만나고 싶다는 욕망을 얻었다. 완벽한 통제는 없으며 내 마음이 파도와 같이 출렁인다면, 그 파도 건너편으로 멀리 떠나갈 사람이 아니라 파도 위에서 함께 춤을 출 그런 사람을 만나고 싶다고.

———

함께 수천하는 다른 작품들

마크 포스터 **스트레인져 댄 픽션** 영화, 2007

기욤 뮈소 **종이여자** 책, 2010

중력과 함께 살아가는 방법

—
W

—
알폰소 쿠아론 감독 **그래비티** 영화, 2013

어느 날부턴가 내 일상이 중력을 잃고 허공을 떠다니기 시작했다. 기억도 나지 않을 만큼 오래 전 보고는 잊어버렸던 영화 〈그래비티〉를 다시 보게 된 것도 그즈음이었다. 기분이 가라앉을 때면 책을 사 모으고 읽던 나였는데, 아무리 읽어보려 해도 도무지 글자가 읽히지 않았다. 침대에서 일어나 씻고 수업을 들으러 가기도 힘들었다. 눈을 뜨면 침대에 엎드려 닥치는 대로 영화를 다운받아 봤다. 영화는 그저 앉아서 아무 생각 없이 보기만 해도 됐으니까.

그때의 나는 사라지고 싶다는 생각을 밥 먹듯이 했다. 마치 원래 이 세상에 존재하지 않았던 것처럼 사라지거나, 방법만 있다면 이 세상이 아닌 공간으로 도망쳐버리고 싶었다. 하지만 일어나면 늘 나는 익숙한 내 방 침대 위였고, 아무리 멀리 도망쳐도 이 세상을 벗어날 수 없다는 사실만 더 선명히 깨달을 뿐이었다. 오십몇 킬로그램의 내 몸무게가 이렇게까지 무거웠나 싶었다.

영화에서 우주에 오니 제일 좋은 것이 무엇이냐고 묻는 코왈스키의 말에 라이언은 고요함이라 답한다. 복잡하고 머리 아픈 지구보다는 아무것도 들리지 않는 고요한 우주가 더 매력적이었으리라. 자신의 소중한 딸이 땅에 머리를 부딪혀 죽은 그날부터 중력을 잃은 삶을 사는 라이언은, 오히려 중력이 없는 우주가 더 편했을 것이다. 나 또한 그렇게 고요함 속으로 도망치고 싶었다. 나를 괴롭게 하는 소리도, 사람도 없는 텅 빈 공간 속으로.

하지만 그 우주조차도 라이언을 가만히 내버려 두지 않는다. 자신을 살려준 코왈스키마저 떠나가버리고, 아무리 'Do you copy?'를 외쳐도 대답을 해주는 사람 하나 없다. 겨우 하나를 해결하면 머지않아 다른 문제가 생기고 만다. 그때마다 처절하게 생의 몸부림을 치는 라이언을 보며 도대체 저렇게까지 살아야하는 이유가 뭘까 궁금했다. 무엇 하나 쉽게 해결되는 법이 없는 난관의 연속에, 인간은 왜 저렇게까지 처절해져야 할까.

우울은 이 영화와 참 많이 닮았다. 잊을 만하면 어마어마한 속도로 날아오는 우주잔해들처럼, 예상치 못한 때에 치고 들어와 삶의 궤도를 이탈하게 하는 순간들이 있다. 아무리 몸부림쳐도 보란 듯이 그 몸부림을 아무것도 아니게 만드는 것들이 있고, '지금 장난해?'라며 우주선의 조종판을 치며 울부짖는 라이언처럼 하늘에 소리치고 싶을 때가 있다. 우주선 밖은 소리 하나 없이 고요하고, 세상은 나 없이도 잘만 돌아간다. 어쩌면 나는 나의 이런 몸부림을 알고 찾아와주는 사람을 간절히 바랐었는지도 모른다. 내가 얘기하지 않아도, 나의 우울과 외로움을 알고 찾아와주는 사람을.

살아보려고 발버둥치다 마지막 순간에 모든 것을 포기한 라이언에게 코왈스키의 환영이 말한다. '여기가 좋긴 하지. 그냥 시스템 다 꺼버리고, 불도 다 끄고, 눈을 감으면 세상 모두가 잊혀지잖아. 여기선 상처 줄 사람도 없고 안전하지. 계속 살아서 뭐 할 거야? 자식을 잃는 것보다 힘든 게 어딨다고. 하지만 중요한 건 지금 당신의 선택이야. 계속 가기로 했으면 그 결심을 따라야지. 두 발로 딱 버티고 제대로 살아가는 거야. 집에 갈 시간이야.' 이 대사를 듣고 한참을 울고 나서야 깨달았다.

쉴 새 없이 사라지고 싶다고 되뇌었던 것이, 사실은 이 세상에서 두 발 딛고 제대로 살아보고 싶다는 외침이었다는 것을. 내 마음의 소음을 피해 아무 소리도 들리지 않는 곳으로 도피하고 싶었지만 사실 나는 궤도 없이, 정처 없이 표류하는 무한한 공허와 어둠에서 나오고 싶었다는 것을 비로소 알게 되었다. 내가 죽지 않고 살아서 이 고통의 끝을 보고 말리라는 마음이 생겼다. 우울할 때 많이 들었던 이랑의 어느 노래 가사처럼, 걷지 않으면 나아가지 못하는 것처럼, 아무것도 안 하면 아무도 아니게 되니까. 아무리 피하려고 애써 봐도 내가 살아가야 할 곳은 이 세상과 지구 위였고, 어떻게든 내 의지와 두 발로 다시 일어나야 했다.

지구로 돌아가는 길에 라이언이 울면서 외친다. '예상되는 결과는 두 가지다. 멀쩡한 상태로 내려가 멋진 모험담을 들려주거나, 앞으로 10분 안에 불타 죽거나. 어느 쪽이든 밑져야 본전이다. 어떻게 되든 그것은 엄청난 여행일 것이다.' 거창한 모험담이 아니더라도, 나도 살아남아 이야기하고 싶다. 사람들이 살아서 들려주는 이야기를 더 많이 듣고 싶다. 비록 우리가 서로 보이지 않아도 결코 홀로 외롭지 않음을, 우리는 잠시 궤도를 벗어났던 것일 뿐 다시 돌아올 수 있다는 사실을 같이 알아가고 싶다.

정말 우울할 때, 위성처럼 내 주위를 맴돌며 걱정해주었던 친구들을 기억하고 있다. 그때는 잘 몰랐지만 지나고 보니 내 삶의 끈을 놓지 않게 도와준 친구들이 있었음을 알게 되었다. 바빠도 나와 밥 한 끼 같이 먹겠다며 연락해준 선생님과 친구들이 있었다. 내가 다시 일어설 수 있었던 것은 나를 끌어당긴 그들의 중력 덕분이라고 생각한다.

가끔은 겁이 난다. 영화에서 코왈스키가 라이언을 살리기 위해 우주 속으로 사라져버렸던 것처럼, 그들이 갑자기 내 곁에서 사라져버릴까 두려울 때가 있다. 하지만 그런 걱정은 잠시 집어넣고 지금 이 순간을 보내려고 한다. 그들이 나에게 힘이 되어준 것처럼 나도 언젠가 힘이 되어줄 수 있기를 바라며 나 또한 친구들의 곁에서 위성처럼 돌고 있다.

여전히 나는 밤이 되면, 잠들지 못하는 사람들이 하늘 위로, 우주로 둥실둥실 떠올라 서로의 이야기를 하는 상상을 하곤 한다. 그럴 수만 있다면, 너무 멀어 이야기가 잘 들리지 않더라도 우리는 이 광활한 우주에서 존재만으로도 힘이 될 수 있을 텐데. 오늘 밤은 너무 많은 사람들이 끝없는 어둠 속을 홀로 표류하지 않기를 바라본다.

나, 그리고 당신의 이야기 ————

— 장 마크 발레 감독 **데몰리션**

— 야구치 시노부 감독 **스윙걸즈**

— 민규동 감독 **내 생애 가장 아름다운 일주일**

— 데이비드 O. 러셀 감독 **실버라이닝 플레이북**

당신의 이야기를 해줘요

___

재은

___

장 마크 발레 감독 **데몰리션** 영화, 2016

영화 〈데몰리션〉의 주인공 데이비스는 어딘가 나사가 빠진 것처럼 아내의 죽음에도 무감각해 보인다. 병원에 멍하니 앉아 있던 그는 자판기의 과자를 뽑으려 하지만 기계 고장으로 동전이 먹힌다. 데이비스는 그 아주 사소한 사건에 홀린 듯 집착하기 시작한다. 아내가 죽은 다음 날 회사로 출근해 자판기 회사에 편지를 보내는데, 그 내용은 보상 요구가 아닌 자신의 이야기다.

회사를 다닌 지 반 년 정도 됐을 무렵 늘 가슴이 답답했다. 새로운 환경과 생활이 마냥 즐겁기만 하던 사회 초년생의 긍정성은 이미 빛바랬고 아무 생각 없이 집과 회사를 왕복하고 비슷한 업무를 눈 감고도 반복할 수 있을 때쯤. 갓 입사했을 땐 회사에서의 서의 모든 순간이 재미있었다. 처음이라는 단어에 담긴 설렘과 긴장감, 꼬박꼬박 통장에 찍히는 어른스러운 크기의 금액, 어쨌든 내 자리가, 주어진 역할이 있다는 것까지. 다만 그 안정감에 무뎌지기 시작하면서 나 자신도 희미해져갔다.

데이비스는 늘 무료했다. 삶을 달관한 사람처럼 관성으로 살아가는 그는 일상에 만족하지 못했고 만족이라는 감정이 주는 즐거움을 잊었다. 사회적으로 보여지는 완전무결함이 그의 존재를 지속시켰다. 버티게 만들었다. 장인의 회사에서 높은 자리에 올라 '아마도' 원하던 미래에 도착했는데도 공허함만 가득했다. 이제 만성적 피로만 그의 곁에 남아 있으며 더이상 그 무엇도 자극을 주지 못했다. 그는 자신의 심장이 뛰지 않는 것 같다고 생각했다. 감정은 무뎌질대로 무뎌져 지독하리만치 똑같은 매일이었다.

왜 사는지 알 수 없었다. 굳이 이렇게 살아야 되나, 깨어있는 시간의 절반 이상을 회사와 두세 시간의 통근으로 보내고. 그게 7일 중 5일이었다. 이름만 대면 알 만한 회사, 좋아하는 책을 다루는 회사에 들어갔으나 결국 무엇을 팔든 크게 다르지 않다는 생각이 들었고, 사랑하는 사람들과 보내는 시간보다 겨우 인사나 시시한 농담을 주고 받는 이들과 내 일상의 대부분을 공유하고 있었다. 집에 돌아오면 피곤했고, 티비를 보고 멍 때리다 잠들었다. 차분하게 생각을 할 여유도 없었고, 회사를 다니며 글을 쓰겠단 의지도 깎여나갔다. 이럴 거면 뭐 하러, 뭐 하러, 뭐 하러. 물음은 머릿속을 맴돌다가 사라져갔다. 눈을 뜨고도 아무것도 보지 못하는 날들이었다.

데이비스는 자판기 회사에 계속 편지를 썼다. 그게 꼭 그의 삶을 되찾아줄 유일한 길인 것처럼. 어쩌면 그는 드디어 거짓말처럼 반복되는 지독한 일상에서 벗어날 수 있는 시간을 발견했던 건지도 모른다. 스스로를 속이는 말들로 점철된 지금까지의 인생에서 할 수 없었던 이야기를 할 기회, 나를 털어놓을 수 있는 시간과 공간. 누군가에게 편지를 쓰는 그 감각이 절실했는지도.

나는 스스로 깨트릴 수 없는 안정된 일상에 균열을 일으켜줄 손길이 절실했다. 익숙함이라는 허상을 좇는 일의 본질은 불안이다. 감정의 위태로움을 조금만 못 본체하면 편하게 살 수 있으니까. 다만 거기엔 내가 없다. 나는 당장 내 것인 시간이 바로 손에 쥐어졌으면 했고, 나를 둘러싼 관계들이 좋아하고 동경하는 것이길 바랐다. 외부와 내부가 한가지로 조화로운 시간 속에 살고 싶었다. 그런데 그들을 홀로 온전히 책임지기가 무서웠다. 부모님의 기대와 금전적인 문제가, 사회의 시선과 미래의 안정감을 잃을 용기가 없었다. 나는 어디로도 갈 수가 없어서 스스로를 옭아매고 끙끙 앓고 있었다.

그만큼 부자유하기가 처음이라 그랬다. 무너질 만한 굴곡도 있었지만 오히려 불행에 발끈해서 스스로 편하게 살았다. 나는 학교를 다닐 때조차 공부가 힘들었던 적도, 사회적인 스트레스를 극심하게 받은 경험도 없어서

경직된 룰이 몸에 부담이 됐다. 이유도 모르고 참을 인내심도 없었다. 그런데 이게 나만 특별히 겪는게 아니라 "다들 그래" 따위라서, 우리는 어디에도 이야기할 수가 없다. 나만 그런 것도 아니라서, 어차피 벗어날 방법이 없어서. 이런 괴롬이 처음이라는 핑계로 투정을 부릴 수도, 그렇다고 그만둘 수도 없었다. 이 모순은 주변의 공기를 짓누르고 우리의 언어에 잠식한다. 시간이 한참 흐른 뒤에 나는 친구들이 비슷한 경험을 하는 걸 보게 됐다. 그럼 나는 그 시절의 나를 꺼내곤 했다. "너만 그런 거 아니야."가 아니라 "네가 잘못된 게 아니야." 말하려고, 네가 너일 수 있게 하는 것들에 대해 이야기 해주면 좋겠어서.

우리의 자아는 시간을 먹고 자라 외부로 팽창해가다가 한순간 사회라는 틀 안에 갇힌다. 자율을, 본인의 언어를 빼앗기고 만다. 열없이 버티던 나는 이야기를 재단하지 않고 들어줄 사람이 필요해지니까, 그래서 데이비스는 그렇게 대답 없는 자판기 회사에 편지를 쓰기 시작했던 게 아닐까. 나는 지난한 시간을 지나오기 위해 글쓰기를 분투했다. 사랑하는 사람들 곁에 머무르고, 그들에게 내 이야기를 하며 그들이 자기 이야기를 하길 바랐다.

이제는 내가 무사히 지나온 순간들을 위로해준 것들을 누군가를 위해 하나씩 꺼내놓는다.

사는 게 숨이 턱 막힐 때, 우리는 가끔 숨고 싶어진

다. 말을 빼앗겨 마음을 표현하는 일이 어려워지기도 하고, 이 상황에서 벗어날 수 없을 거라는 막연한 두려움에 빠진다. 그런데 거기엔 당신이 없다. 수많은 고민과 걱정 속에 당신을 위한 마음만 없다. 어디든지, 상대가 누구든, 당신 이야기를 해주었으면 좋겠다. 당신만을 위한 시간을 내서.

취미의 (재)발견

___

홍성하

___

야구치 시노부 감독 **스윙걸즈** 영화, 2006

권여선 작가의 〈사랑을 믿다〉라는 단편소설에 이런 대사가 나온다. 실연을 겪은 뒤 모든 걸 잃었다고 생각하며 슬픔에 잠겨 있는 친구에게 주인공이 건네는 말이다.

 "보이지 않는 건 아닌데 너무 초라하고 하찮아서 어디 한번 보자 하고 덤벼들 마음이 생기지 않는 그런 것들 있잖아. 그런 보잘것없는 것들이 네 주위에 널려 있거든. 대상이든, 일이든, 남아 있는 그것들에 집중해. 집중이 안 되면 마지못해서라도 감정이 그쪽으로 흐르도록 아주 미세한 각도를 만들어주라고. 네 마음의 메인보드를 살짝만 기울여주라고."

 물론 친구는 말을 듣지 않고, 주인공 역시 뎌 말을 하지 않는다. 자신에게도 "쓰디쓴 고통의 한 방울도 쏟지 않으려 안간힘을 쓰"던 때가 있었기 때문에.

 슬픔은 눅눅하고 퀴퀴하고 무거우며 날카로운 마음

이다. 그것을 안에 품는 일을 기꺼이 여기는 사람은 아무도 없을 것이다. 그런데 이상하지. 우울한 사람들은 슬픔을 오히려 좇는 것처럼 보인다. 볕 좋은 날 친구들을 만나 맛있는 걸 먹고 코미디 영화라도 한 편 챙겨보라는, 뭇 사람들의 다정하고 상식적인 조언은 죄 모른 척하고 글쎄, 골방에 틀어박혀 느린 노래나 틀어놓고는 끼니도 거른 채 훌쩍거리니 말이다. 답답한 노릇이다.

하지만 어쩔 수가 없다. 우울에 대해 우울하지 않은 사람들이 으레 착각하는 것 중 하나는, 우울증을 단순한 감정의 상태라고 여긴다는 점이다. 사실 그것은 상태라기보다는 어떤 자세. 슬픔으로부터 벗어나길 바라면서도 더 깊은 슬픔으로 몸을 기울일 수밖에 없는 것. 울음만이 자신이 가진 전부라고 믿는 까닭에 혹시라도 흘릴까 입을 아예 다물어버리는 것. 통증도 지나간 계절의 증거라 차라리 더 세게 껴안고 마는 것. 그때의 자세. 우울은 슬픔과 울음과 통증만이 아니라, 부들부들 떨면서도 그것을 붙들고 서 있는 모양 전체를 가리키는 것이라고 나는 생각한다.

그리고 하나 더: 슬픔을 붙들고 있는 사람은 그 외의 어떤 것에도 시선을 두지 못한다. 그 사람이 가진 다른 모든 것들이 오직 그이 자신에게만 보잘것없어지고, 보잘것없는 것들은 이내 아예 없던 것처럼 그이로부터 잊혀진다.

해서 내 우울의 제 1증상도, 취미의 상실이었다.

뭐, 취미라 해봐야 독서, 영화감상, 노래 듣기 따위의 흔하고 시시한 것이 전부였고, 사실 우울한 와중에도 여전히 무언가를 읽거나 노래를 듣거나 영화를 보긴 했다. 하지만 도무지 마음이 움직이지 않았던 것이다. 예컨대, 읽고 싶은 책을 다달이 사는 버릇은 고치지 않았지만 정작 사모은 책들을 읽지는 않았다. 플레이리스트에는 어둡고 무거운 곡들만을 넣어두었고, 그나마도 별로 갱신을 하지 않았다. 영화관에도 발길을 끊었고, 보고 싶던 영화가 TV에 나오면 오히려 채널을 돌렸다. B급도 못 될 싸구려 슬래셔 무비를 멍하니 보다 잠들곤 했다.

좋아하는 일을 오히려 피하고 싶은 마음이었다. 그리고 꽤 잘 피하고 있었다. 한낮의 TV에서 〈스윙걸즈〉를 다시 마주치기 전까지는 말이다.

소시민, 혹은 마이너리티, 또는 언더독. 아무튼 시시하고 보잘것없는 인물들이 모여서 무언가를 성취하는 이야기를 좋아한다. 그 성취의 규모가 소박해도 좋다. 아니, 오히려 대단치 않은 인물들이 갑자기 커다란 성과를 일구어내는 이야기는 좀 어색하고, 소박하고 수수한 보상을 얻어내는 편이 친근해서 더 좋다. 아무튼, 내가 벌써 개봉한 지 십 년이나 된 이 일본 영화를 여전히 좋아하는 이유도 그와 같다.

시골 여고생들이 우연한 계기로 스윙재즈에 빠지게

되는 이야기를 담은 이 영화는, 도시락 배달 사고로 인한 취주악부원들의 식중독과 같은 시시한 사건들로 시작해 지역 내 연주대회에 결석 팀이 발생한 덕에 겨우 무대에 오르게 된다는 수수한 결말을 맞는다. 주인공들에게 모자란 것들은 운 좋게 채워지고, 갈등이나 위기라 할 만한 것은 우연히 해결되어 버리는, 느긋한 영화다. 배꼽 빠지게 우습거나 눈물을 짜낼 만큼 슬픈 장면은 없지만 그 장면들 사이에 스윙재즈의 흥겨운 리듬, 보석처럼 찬란하지는 않아도 청량음료의 유리병 정도는 반짝거리는 청춘이 들어차 있다. 이 자그마한 이야기 끝에서, 성적 미달로 보충수업을 받던 소녀들은 좋아하는 일을 갖게 되고 인기 없던 수학교사는 자랑할 만한 제자들을 얻는다. 소탈하지만 사랑스러운 이야기다. 십 년 전쯤 처음 이 영화를 본 이후로, 나는 못해도 일 년에 한 번씩은 이 영화를 다시 보곤 했다.

하지만 그것도 물론 우울해지기 전, 밝고 명랑한 이야기들을 멀리하게 되기 전까지의 이야기였다. 우연히 이 영화를 다시 맞닥트리게 된 그날, 사실 나는 채널을 돌리려고 했다. 하필 그 순간 화면에 비치는 것이 스윙걸즈의 첫 번째 공연 장면―그러니까 내가 제일 좋아하는 장면만 아니었어도 그럴 수 있었을 것이다.

결국 결말부의 대회 장면에 이를 때까지 TV 앞을 떠나지 못했다. 다 아는 내용인데도 그랬다. 좋아하는 것을 가진 소녀들이 새삼스레 눈이 부실 만큼 멋있어보였기 때문이다. 영화 속의 스윙걸즈가 〈Moonlight serenade〉

의 첫 음을 여는 순간 나는 이 영화를 만난 이후 처음으로 눈물을 흘릴 뻔했고, ⟨Mexican flyer⟩가 시작될 때는 영화 속의 관중들을 따라 엇박의 박수를 치기 시작했다. 치지 않고서는 견딜 수 없었다. 이어지는 곡, ⟨Sing Sing Sing⟩에서는 볼륨을 최대로 높이고 좌우로 어깨를 흔들기까지 했다. 그렇게 신이 나본 게 오랜만이었다.

깨달음 하나가 찾아온 것은 그렇게 한참 몸을 흔들던 와중이었다. 문득, 아주 명확한 인식 하나가 내 머리와 가슴을 스치고 지나갔는데, 그것은 (굳이 슬픔을 붙잡고 있던 그 마음의 탓을 하지 않더라도) 너무나 새삼스러워서 한 번도 발음해 본 적 없는 어떤 사실에 대한 것이었다. 말하자면 내가 이 영화를 사랑한다는 것. 그러니까, 내게도 여전히 좋은 것, 좋아하는 것이 있다는 것.

그리고 그 깨달음이, 어쩌면 그 순간 기울어져있던 내 메인보드의 반대쪽을 지그시 눌렀던 모양이다. 미세한 각도가 만들어지고, 짝쿵짝쿵(쿵짝쿵짝이 아니라는 데에 유의해야 한다.) 스윙 리듬에 맞춰 들썩이는 마음 사이로 바람이 들었다. '스탭롤이 다 올라가면 산책이라도 좀 나가볼까', 그런 생각을 문득 했다.

그래, 그렇게 내 오래된 우울의 자세가 조금 흐트러졌다. 그 보잘것없는 (재)발견이 치유의 첫 단계였다는 걸, 물론 그때는 몰랐다.

나를 사랑하는 일이,
당신을 사랑하는 일 같다

—

재은

—

민규동 감독 내 생애 가장 아름다운 일주일 영화, 2005

가끔, 아니 자주, 나를 사랑하는 일이 힘들었다. 요행 같은 행복은 언제고 도망갈 준비를 하고 있는 것만 같아 나는 행복해서 불행했다. 안정감이 곧 불안함이었다. 사랑받는다는 사실이 의심스러웠고 결국 자기검열과 지나친 자신감을 내보이며 버텼다. 그러다 지치면 티 나지 않게 숨었고, 외로워 견딜 수 없으면 다시 당신들에 손을 내밀었다. 사랑받는 일을 할 수 없게 되어 주는 일에만 익숙해졌다. 주는 사랑이 좋은 거라고 스스로 위로하다 받는 사랑을 피하게 됐다. 의심이 클수록 상처받는 일이 무서워졌다. 그러고도 인생은 잘만 살아져서, 약간 망가진 채로 그렇게 시간이 흘렀다.

이미 꽤 옛날 영화가 된 〈내 생에 가상 아름다운 일주일〉을 우연히 보게 됐다. 영화의 끝 무렵 황정민의 대사를 듣고 문득 오늘 나의 하루에 빛나는 순간이 있었는지 되짚다가, 언젠가 지나쳐 온 문장에 마음이 닿았다. "단 하루면 인간적인 모든 것을 멸망시킬 수 있고, 다시 소생시킬 수도 있다." 아니, 하루를 다 쓰지 않아도 우린 더 많은 걸 망칠 수 있다. 우리는 하나의 세계고, 오늘 하루는 수많은 작은 세계들이 겹쳐 만들어진다. 나의 세계를 폐허로 만드는 데에는 그 세계를 짓는 것만큼의 시간과 노력이 필요하지 않다. 나는 주어진 행복도 감당할 줄 몰라서 언제든, 무엇이든 망칠 준비가 되어 있는 한심한 사람이니까.

영화 속 형사인 황정민은 유괴범으로 몰린 서영희에게 말한다. "오늘 너 때문에 행복한 사람이 단 한 명이라도 있었으면, 너 내가 살려준다." 나는 정말, 황정민이 꼭 나한테 그 말을 하는 것만 같아 순간 오늘 나를 지나쳐 간 사람들을 떠올렸다. 그 한마디에 영화의, 내 삶의 모든 길모퉁이가 선명하게 보였다. 우리는 오래된 관성으로 서로가 서로의 세계를 지탱하고 있다는 사실을 잊고 산다. 내가 당신의 일부분이라는 사실을, 당신이 나의 일부분이라는 걸 잊었다. 전부 잊고, 당신을 행복하게 하는 존재가 나라는 것도 잊는다. 우리는 단 하루면, 인간적인 모든 것을 멸망시킬 수 있다. 더 이상 내가 나를 사랑하지 않는 일로써 당신의 인생에서 빠져나올 때, 나는 당신을 나락으로 떨어뜨릴 수 있으니까. 나를 사랑하는 당신들을 울게 하는 방법은, 내가 나를 포기하는 거니까.

우리는 가끔 당신을 너무도 사랑해서 나를 잊고, 행

복을 감당할 능력이 없어서 기꺼이 불행해지곤 한다. 영화 속 모든 오해가 발생하는 지점이자 모든 문제를 풀어내는 해답이기도 한, 그런 일. 찢어지게 가난한 부부, 서영희가 남편 임창정을 행복하게 해주기 위해서는 본인을 조금만 더 사랑하면 됐다. 빚을 떠안은 채 서로 몰래 행상을 하며 푼돈을 벌어 근근히 먹고 사는 두 사람에게 아이가 생겼다. 사랑만으로는 감당할 수 없는 형편, 그 무서운 선택의 순간들에서 둘은 함께하지 못한다. 다만 너로 인해 행복할 단 한 사람이 있다면 살아갈 이유가 있다는 한 마디가 나를 살리고, 당신을 살리고, 우리를 살린다. 내가 나를 사랑해도 된다는 허락이자 위로 같아서. 본인의 안위보다 나의 만족으로 기뻐할 사람을 위해.

허술하게만 보였던 영화의 장면들은 모두 한 방향으로 흘렀다. 우리는 너무 지질하고, 그래서인지 인생은 나에게 유독 가혹하다. 나를 사랑하기가, 좋아해주기가 유난히 힘들다. 다만 그렇게 애를 쓰는 순간들에 생명은 더 크게 타오른다. 영화는 삶과 죽음의 문턱에 유난히 자주 다가가는데 그 끝이 있다는 사실이 나를 간절하게 만들고, 영화는 이어 말한다. "몇 번이라도 좋다. 이 끔찍한 생이여, 다시!" -니체. 당신을 위해서라면 몇 번이고 이 끔찍한 생을 함께 살아내겠다는 말 같아서 나는 울 것 같았다. 우리는 몇 번이라도, 사랑하는 사람들 곁이라면 영원히 살 각오가 되어 있으니까. 내가 나를 사랑하지 않는 동안 잊고 있던 나를 사랑하는 사람들에 미안해 또 콧등이 시큰했다.

We don't have forever. 시간은 영원하지 않고, 내게 주어진 당신도 영원하지 않다. 우리는 시름과 상실에 빠지기도 하고, 한동안 매일매일을 잃으며 살기도 한다. 다만 그런 시간이 삶을 더 빛나게 만든다. 유한한 시간이 나를 한껏 인간적이게 한다. 무한한 기회가 주어지지 않기에 나는 오늘이 슬픈 대신 치열하고, 또 간절해진다. 단 하루 안에 우리는 서로를 잃을 수 있으나, 단 한순간이 주어져도 우리는 사랑할 수 있으니까.

우리
망가진 대로 괜찮잖아요

———

재은

———

데이비드 O. 러셀 감독 **실버라이닝 플레이북** 영화, 2013

잘해야 한다는 강박이 있다. 있었다. 지금도 있거나, 가끔 찾아오거나 한다. 부모님에게 자랑스러운 자식이 되어야 한다거나, 주변에 뒤처지면 안 될 것 같은 기분, 세상 나만 못난 것 같은 때가 있고, 그런 스스로가 견디기 힘들 때가 있다. 한참을 그렇게 열심히 살기 위해 불태우다가도 그만 못하겠을 때가 있다. 주변에서 언제나 너는 부지런하게 산다는 말을, 알아서 잘한다는 칭찬을 한다거나 하는 기대들이 폭력이 되어서는 내 멱살을 끌어다가 어느 정상에 데려다 놓는다. 그러면 나는 이내 쉴 새 없이 굴러떨어진다. 남들 눈에 온전한 내가 속으로 무너지는 건 한순간이었다. 다만 바닥을 쳤다는 사실은 티 내지 않는다. SNS 계정 속의 나는 울고 있어도 완벽해 보인다.

요즘은 내가 망가졌다는 사실에 안도의 한숨을 내쉰다. 가끔 이 인생이 엉망진창이라는 명백한 증거가 드러날 때 알 수 없는 쾌감 비슷한 걸 느껴온 것 같다. 안정감 없이는 불안해서 못 살겠으면서도 온전하고 포근하기만 한 일상의 단조로움은 견뎌낼 수가 없어서 그럴지도 모른다. 사실 우리 멀쩡한 척하는 것뿐이지 않나, 손톱을 물어뜯고 집에 며칠씩 숨어있고 연락을 끊고 하루 종일보다 길게 길게 깊은 잠을 자고 혹은 그런 충동을 느끼거나, 어쩌면 망가졌다는 것 자체가 정상이지 않나. 세상에 확실하게 정상이라고 말할 수 있는 게 얼마나 된다고, 아니 그런 거 있기는 한가.

새삼스러운 게, 나 혼자 사는 거면 누구나 정상일 텐데, 이 세계를, 세대를 '함께 겪어내고' 있어서 우리는 아무것도 정상으로는 만들 수가 없다. 그러니 누가 제일 잘못됐는지 줄 세우지 않아도 된다. 늘 바뀌는, 사실 존재하지도 않는 기준에 나를 맞추기 위해 아등바등하지 않아도 살아진다. 망가진 채로 살아간다고 해도, 결국 망가진 것들이 가장 행복하게 웃는다. 우리를 고칠 필요가 없어서, 다 고개 끄덕일 수 있으니까. 당신 정말 아무래도 괜찮으니까.

사실 우리 이대로 망가져 있어도 괜찮다는 말을 해준 영화가 있어서 내가 조금 뻔뻔하다. 아니, 우리 모두가 망가져 있다는 걸 알게 해준 영화였던가 싶은데 시작부터 엉망진창이었다. 주인공 둘이 너무 엉망이라 입을 헤벌린 채 눈으로 먼저, 그 다음에야 머리로 겨우 그들을 쫓기 바쁘다. 입가엔 미소가 번진다. 〈실버라이닝 플레이북〉은 얼핏 보면 우리의 다름을 인정하고 상대방에 손을 내밀어야 한다는, 뭐 이런 내용 같다. 실제로도 그런 내용이 맞긴 한데, 더 정확히는 우리 모두 엉망진창이라는 것뿐이다.

약을 먹고, 정신병원에서 나온 인물들을 비정상이라고 이야기하는 다른 인물들도 그리 정상으로 보이지는 않는다는 게 핵심이다. 야구광이라면 이해할 법하지만 병적으로 확률과 우연에 집착하는 주인공 아버지, 정신병원에서 나온 아들과 인생은 한 방이라며 가정을 말아먹을 듯한 남편에 쩔쩔매며 늘 안절부절인 어머니, 주변 사람들의 불행을 즐거워하는 아버지 친구. 불행한 부부생활을 티 내지 않는 주인공 친구와 남편의 사정은 생각하지 않고 사회적으로 보여지는 모습만 걱정하는 그의 아내까지. 외려 트라우마가 있는 주인공 둘의 사정을 듣고 나면 주변인들이 더 극적으로 엉망이니까.

그러니까, 망가진 게 문제가 아니다. 나 빼고 전부 엉망진창인 세상을 살아가기 위해 배워야 하는 단순한 진리는 영화 속 대사와 같다. "누군가 손을 내밀려 할 때 마음을 알아채는 게 중요하다. 내민 손을 잡아주지 않는 건 죄악이고 평생 후회할 일이 될 거다." 우리는 서로를 하나 고치지 않고 손을 잡을 뿐이다. 누가 얼마나 망가져

있든, 엉망으로 살아가든 각자의 몫이다. 다만 나는 당신의 인생을 방관하지 않는다. 누군가 내밀어준 손을 잡고, 잡아주길 기다리는 당신을 손을 꼬옥 쥐어본다. 우리가 서로의 삶 밖으로 무너지지 않도록, 이 세계 밖으로 아무도 미끄러지지 않도록.

내가 정상이란 걸 증명하기 위해서 우리는 가끔 타인을 부정한다. 기준을 만들고, 내가 그 안에 들어가고, 다른 사람들을 그 밖으로 밀어내면 나는 더욱 견고해진다. 그런가 하면, 사람이 타인을 인정하는 것과 그저 나약함의 동지로 삼으려는 건 또 다른 차원의 일. 우리는 스스로와 당신들에 엄격해질 필요도, 서로를 포기하고 무너질 필요도 없다. 그저 손을 내밀고, 또 그 손을 잡을 용기만 있으면 된다.

아픈 사람이 너무 많다. 우는 사람, 내일을 무서워하는 사람, 다른 사람을 힘들어하는. 버티지 않고도 그냥 사는 법을 잊은 우리가 오늘도 한가득 고여있다. 영화 〈노팅힐〉 마지막 장면에 이런 대사가 나온다. "누군가 손을 내밀어준다는 건, 멋진 일이에요. 그쵸?" 참 쉽고도, 멋진 일. 누군가 손을 나에게 내민다는 것도, 나의 손을 잡으려 한다는 것도. 누군가 내 손을 잡으려 한다면, 나는 그 손을 잡을 수 있을까. 다만 나는 당신에게 손 내밀고 싶다. 나를 잡아달라고, 그리고 당신 손을 잡아주고 싶다. 기꺼이. 우리는 모두 망가져서, 서로가 필요하니까.

그 가사가 꼭 내 이야기 같아서 ────────

숨어버린
나의 친구들에게

김현경

"

이런 날 안아줘.

아무 말 말아줘.

천 마디 말보단 기대 쉴 수 있는 어깨를 내게 줘.

"

NELL 부서진 입가에 머물다 음악, 2004

휴학을 했던 나는 한 학번 어린 후배들과 수업을 함께 들었다. 제품 디자인 전공 수업의 특성상, 팀을 이루어 함께 해야 할 일들도 많았고, 그렇지 않더라 해도 하루 종일, 자주 밤을 새우며 수업의 과제나 작업들을 했기 때문에 절대적으로 많은 시간을 함께할 수밖에 없었다. 가끔 사이가 틀어지는 사이도 있긴 했으나, 우리는 대부분 친하게 지냈다.

세수도 못한, 분명 해 뜰 무렵이 되어서야 컴퓨터 앞에 잠깐 엎드려 잤을 법한 피곤한 얼굴로 마주쳐도 허허 웃으며 인사하는 것이 우리의 일상이었다. 내가 친하게 지내던 친구들 중에는 노력하지 않는 친구가 없었다. 모두들 더 좋은 작업물을 위해 과하게 시간을 쏟고 고민했다. 그 시간들에 단 한 번도 다른 누군가보다 잘하기 위해서가 이유였던 경우는 본 적이 없다. 오늘의 시간을 조금 덜 쓴 자신, 조금 더 자고, 덜 고민한 자신을 탓했다. 그때는 몰랐다. 그게 우리를 망가뜨릴 줄은.

우리는 서로 의지했고 때로는 맥주를 마시며 디자인에 관한 이야기들을 밤새 늘어놓곤 했다. 항상 스스로와 스스로의 작업물들이 부족하다 생각하며 서로를 격려했다. 자신의 끼니는 걸렀어도 친구들에게는 밥은 먹었냐 묻고 빵 하나를 나누었다. 쓰러져가는 얼굴의 우리에 대해, 우리는 가끔 우스갯소리로 "서로가 서로에게 기대있기 때문에 한 명이 쓰러지면 안 된다."혹은 "다 같이 집단 상담을 받는 게 좋겠다."하는 이야기를 했다.

그 친구들을 만나기 전까지 나는 다른 사람들에 관심이 없었다. 타인이 좋아하는 책이나 음악, 영화 같은 것들에 대해 물어볼 이유 자체가 없었다. 누군가에게 내가 그 분야에 대해 잘 모른다고, 추천해달라 말하는 것도 어색했다. 다만 그 즈음에 "네가 좋아하는 건 뭐야?"라고 묻는 것이 사람들과 친하게 지낼 수 있는 방법이란 걸 알았다. 영화를 좋아하는 P는 크게 관심도 없는 내게 항상 자신이 좋아하는 영화 이야기를 늘어놓았기 때문이었다. 나는 P가 좋아한다는 영화를 함께 또 보고 이야기를 나누고, P가 좋아할 만한 영화를 내가 다시 추천했다.

그 즈음 연구실에 새로 들어온 H는 나를 꽤 어색해하고 무서워하는 것 같아 보였다. 나는 그런 H가 원래 연구실에 있던 구성원들과 친하게 지내면 좋겠다 생각해 종종 "밥 안 먹었으면 같이 먹을래?" 하는 식의 말을 걸었지만, H는 보통의 경우에 정중히 거절하고 자리를 떠났다.

어떤 말을 걸어야 H와 이야기를 나눌 수 있을까 고민하다, 언제나 이어폰을 꽂고 있는 H에게 음악에 대해 물었다. 무슨 음악을 듣고 있는지, 요즘 들을 곡이 없는데 추천해줄 수 있는지, 어떤 뮤지션을 좋아하는지.

"저는 넬을 정말 좋아해요"

"〈기억을 걷는 시간〉의 넬? 나는 그 곡 말고는 잘 모르는데 무슨 곡이 좋아?"

그 후로 종종 H와 넬의 곡들을 주제로 이야기를 나누었다. H는 몇 곡을 먼저 들어보라 말하고, 내가 그중에 어떤 곡이 좋다 말하면 다른 곡을 추천해주곤 했다. 또 곡들과 제목들에 얽힌 재미있는 에피소드들을 이야기해주었다. 예를 들어 〈1:03〉은 김종완이 곡 작업을 마치고 시계를 봤는데, 새벽 한 시 삼 분이었어서, 〈51분 후〉는 51분 후에 죽을 거라 생각하고 지은 제목이다, 하는 이야기들이었다. 나는 아직도 그 이야기들이 진실인지는 모르나, 그렇게 들었기 때문에 그렇게 믿고 있다.

H는 W도 넬을 좋아한다고, 그래서 자신도 W와 친해질 수 있었다 말했다. 그래서 나는 W에게도 넬의 곡들을 추천받았다. 같은 넬의 곡들이었지만 H와 W와 나는

자주 듣는 곡들이 달랐다. 확실하게 기억나지는 않지만, H는 〈Ocean of Light〉, W는 〈기생충〉, 나는 〈부서진 입가에 머물다〉를 좋아하는 식이었다.

같은 취향을 가진 사람들은 공통점이 있을 수밖에 없는 걸까. H와 W, 나 모두 학교를 졸업하고 친구들과 연락을 하지 않았다. 우울증 때문이었다. 내가 가장 먼저, 그 다음이 W, 그리고 H였다. 나는 가끔 친한 친구들 몇에게 소식을 전하곤 했지만, W와 H의 소식은 통 들을 수도 없었고, 친구들로부터도 '잘 모르겠다'는 말만 들었다. 학교를 떠나 본가로 돌아갔다더라, 아무와도 연락을 하고 싶지 않다더라, 하는 이야기들은 다른 친구들에게서 전해 들었다.

H와 W가 내게 알려준 넬의 곡 중에도 우울증과 관련된 곡들이 여럿 있었다. 그중에서도 〈부서진 입가에 머물다〉에서 넬은 이렇게 노래했다.

힘들다 말하는 그 순간 모두 떠나버리죠
타인의 짐까지 짊어지기엔
이 세상이 너무 벅찬걸

뿔뿔이 흩어진 우리 셋 모두 스스로에게 갇혀 누구에게도 서로에게도 아무 말 하지 못 했다. 예전처럼 서로 기댈 수도 없었다. 어쩌면 '힘들다 말하는 그 순간 모두 떠나버리죠' 생각했을 테다. 어쩌면, 아니 그 친구들이라면 분명 그렇게 생각하고 친구들과 멀어진 채 자신의 방에 자신을 가두었을 것이다. 항상 웃음을 주고 싶어했던, 때로 짜증 난 모습을 보이면 이내 "미안하다" 말하던, 누구에게도 짐이 되긴 싫었을 친구들이었으니까.

　　이런 날 안아줘
　　아무 말 말아줘
　　천 마디 말보단
　　기대 쉴 수 있는 어깨를 내게 줘

　　두 친구와, 다시 볼 수 있다면 함께 크리스마스 콘서트에 가고 싶다. 그리고 넬이 〈부서진 입가에 머물다〉를 어쿠스틱 버전으로 불러주면 좋겠다. 그러면 그때의 우리는 아무 말 없이 서로의 어깨를 내어줄 수 있을까.

———

함께 추천하는 다른 작품들

넬 **한계** 음악, 2006
넬 **Let The Hope Shine** 음악, 2016

타인의 가사

홍유진

"

그곳은 꿈꾸는 모두를 집어삼키는 무덤

하루에도 몇 구씩 발견되는 싸늘한 주검

하늘 아래 가장 높게 솟은 새하얀 구멍

꼭대기에 대한 상상은 내겐 오래된 즐거움

"

허클베리피 **Everest** 음악, 2015
넉살 **작은 것들의 신** 음악, 2016

저요? 저는 뭐 그냥… 미미한 책을 쓰는 사람일 뿐입니다.

그래도 그나마 작년까지는 제 뒷배에 화목한 가정이 있었고 아버지가 계셨습니다. 우리 아버지는 제가 직장을 때려치울 때도 잔소리 안 하시고, 또 제가 책을 만들기 시작했을 때도 별 응원 말씀이 없으셨던 분이셨죠. 사실 애정과 애교가 넘치는 부녀 관계는 아니었고, 오히려 통상적인 한국식 아버지와 아들 사이에 더 가까웠다고 봐야 하나. 그런데 그렇게 말씀이 많지 않으신 분이어도 제겐 최고의, 그리고 유일한 후원자였습니다. 솔직히 제 재능은 미켈란젤로급 예술가의 발가락 때도 못 되었지만, 아버진 그걸 아시면서도 메디치 가문처럼 베풀어 주셨지요.

저도 자존심은 세서 남의에게 손 안 벌리고 하고 싶은 일 하겠다고 아르바이트를 뛰긴 했지만, 사실 고정된 직장 없이 서울에서 버티는 게 쉽지 않은 건 다들 아시잖아요. 그 때문에 월말쯤 되면 햄버거 하나 사 먹는 것도 한참 고민해야 할 때가 오는데, 그럴 때쯤 한 번씩 부모님에게서 연락이 왔습니다. 농장 일이나 좀 도우라고요. 내려가면 정작 일은 깔짝깔짝 시키고, 그러다 점심이 되면 "너 서울에선 이런 거 잘 못 먹지?" 그러시면서 옆 동네 밥 잘하는 집 데려가 배 터지게 밥을 먹이셨습니다. 그 다음엔 "밥 먹고 바로 일하면 옆구리 당기니까 드라이브나 좀 하다 가자." 하시면서 같이 놀다가 하루가 끝났지요. 마지막으로 서울 돌아갈 날이 되면 아버지께선 절 터미널로 데려다주고 차표를 끊어주면서, 알바비라고 돈을 함께 쥐여주곤 하셨습니다. 능력 없는 자식이 부모님에게 빈대 붙는단 기분이 들지 않게, 제 체면을 구기지 않고 돈을 보태주신 겁니다.

그런 아버지가 이제는 없습니다. 몇 달 전 큰 사고가 난 이후부터요. 차를 같이 탔던 어머니는 몸도 다쳤고 마음은 더 많이 다치셔서, 절 붙잡고는 자주 가슴 철렁할 말을 하시곤 했습니다. 게다가 철없는 언니 때문에 혼자 사회인의 무게를 견뎌내고 있던 동생은 갑자기 아버지를 잃은 충격으로 마음을 닫아버렸지요. 저는 어떻게든 남은 가족들이라도 붙잡고 일상을 되찾고 싶었지만 그럴 능력이 없었습니다. 특히 금전적인 방향으로는 더더욱.

—

그때 위로의 시간은 생각지 않은 타이밍에, 생각지 않은 것을 통해 찾아왔습니다. 아마 그날은 아버지 보험을 처리하느라 어딘가 다녀오던 길이었을 거예요. 아무래도 아버지의 죽음을 여러 번 확인사살 받는 자리다 보니 정신적인 피로가 장난이 아니었는데, 하필 이른 퇴근 시간이랑 겹쳐서 지하철에 앉아갈 자리도 없더군요. 그래서 그냥 손잡이에 매달려 축 늘어져서는, 노래로 조금이라도 스트레스를 풀어보려고 귀에 이어폰을 콕 찔러 넣었습니다. 그때의 랜덤 재생 중에서 유난히 또렷하게 들리는 노래가 몇 곡 있었습니다.

그곳은 꿈꾸는 모두를 집어삼키는 무덤
하루에도 몇 구씩 발견되는 싸늘한 주검
하늘 아래 가장 높게 솟은 새하얀 구멍
꼭대기에 대한 상상은 내겐 오래된 즐거움

허클베리피 **Everest** 중

곡의 도입부에 녹아들며, 저는 멍하니 눈앞에 뚫린 컴컴한 차창을 내다보았습니다. 가끔 번질거리며 지나가는 창백한 조명 말곤 아무것도 보이지 않았습니다. 그 와중에 문득 그런 생각이 들었습니다. 그러고 보니 내가 마지막으로 소재 노트 펼쳐본 게 언제쯤이었더라. 장례를 치르고 나서부턴 한동안 집과 병원, 집과 구청, 집과 보험사, 가끔 집과 경찰서까지. 제 영역은 그뿐이었습니다. 그나마 집에 있는 시간도 그냥 멍하게 흘려보내기가 부지기수였죠.

그러다 보니 얼마 전부터는 나와는 다른, 평범한 사람들의 평온한 일상에 눈이 가기 시작하더군요. 저는 노래가 덧씌워진 풍경 속에 앉아 있는 사람들을 둘러보았습니다. 귀와 목에 블루투스 이어폰을 두른 채 거래처와 통화하느라 진땀 빼는 남자, 피자 판을 손에 들고 넥타이를 매만지는 아저씨, 구두에서 부은 발뒤축을 살짝 빼놓고 앉아 있는 여자… 한때는 별로 원하지 않던 삶이었습니다. 그래서 대책 없이 직장을 때려치우고 작가 지망생을 빙자한 히키코모리로 살기도 했고요. 그러다 친구들과 연락도 거의 끊어지고, 별 돌파구도 없이 기약 없는 외톨이로 살던 중에, 저는 독립출판의 신세계를 처음 접했습니다.

어떤 이의 성공담을 죄다 옮겨놓은 책
떨리는 내 두 손으로 꽉 움켜쥐었네

그것은 출판사 문턱을 넘지 않아도 제 글을 세상에 내보낼 수 있는 탈출구였습니다. 지금 다시 생각해보면 나 자신이 민망할 정도로 건방져서 이불을 차고 싶은 심정이나, 그때는 제가 실력이 없어서 안 되는 게 아니라

보여줄 기회가 없어서 안 되는 줄 알았어요. 그래서 이것 저것 작업하는 동안 뭐… 그냥 좋았습니다.

서로의 어깨를 두들기며 약속해
모두 정상에서 보기로

당장은 쪽박이나 차는 신세지만, 언젠가 내겐 남들과는 다른 위치의 삶이 주어질 거란 막연한 희망이 있었거든요. 뭐, 결과적으로 지금 제 자리가 다른 사람들과 많이 달라지기는 했지요.

내 자리는 하수구 냄샐 맡으며 아주 작은 모니터 앞에서
그저 화면이 꺼지지 않게 마우스를 건드는 일이지
사회라는 싸움에 누군 마우스피스를 찾는데 말이지

넉살 **작은 것들의 신** 중

남들이 열심히 지상의 봄을 사는 동안, 전 여전히 1월 초의 바다에 살면서 비굴하게 아버지의 목숨값이나 흥정하고 다녔으니까요.

만약 제가 일찌감치 취직해서 30대 또래들처럼 꾸준히 돈을 모아 왔다면 지금 상황은 어땠을까요? 아버지 장례비를 낼 때마다 한심하게 어머니나 동생 이름으로

된 카드를 긁으며 눈치 볼 필요도 없었을 것이고, 빈소에서 쓸 꽃을 선뜻 고르지 못해 보다 못한 큰아버지께서 대신 꽃을 사주시는 민망한 일도 없었을 겁니다. 또 어머니의 마음을 치료할 좋은 의사도 구하고, 동생에겐 돈은 내가 벌어올 테니 너는 직장 힘들면 때려치우고 쉬고 싶은 만큼 쉬라고 큰소리를 칠 수도 있었겠지요. 뭘 하든 지금보다 나았을 거라는 생각이 드니 사실 책 만들 생각하는 것도 옛날만큼 재미가 없었습니다.

전의를 잃은 전사에겐 남은 적이 없어
버스와 지하철조차 자리가 남은 적이 없어
날 담아두던 엄마의 뱃속도
이젠 다 식었구나 적의와 희망을 주던 열정도

솔직히 그 무렵엔 글 쓰고 책 만드는 걸 때려치우려고도 했고,

나지막히 말해, 애초에 오는 게 아니었어

처음부터 글 같은 건 쓰지 말았어야 했다며 후회까지 한 적도 있었지요.
그렇게 우울한 생각에 빠질수록 차오르는 자책과 함께 귀를 감은 비트가 더욱 격정적으로 변해가던 그 순간,
시체로 발견된 그는 어린 시절 나의 영웅

이젠 누군가의 주검을 보고 싶지 않아 더는
허나 무엇보다 보고 싶지 않은 건 돌아선 후
모든 게 부질없다며 비웃는 저 패배자들의 얼굴

노래 속 목소리가 제게 저렇게 외쳤습니다. 아마 그런 뜻이겠지요. 뭘 더 잃고 좌절하고 싶지 않은 마음 알지만, 너도 지금까지 쌓아온 걸 없던 거로 하고 완전히 되돌아갈 수는 없을 거라고. 지금 지상으로 내려와도 행복하지는 않을 거라고.

저는 지금까지 오른 제 성과의 높이에 대해 다시 한 번 생각해 보았습니다. 제 딴에는 정말 열심히 올라오긴 했는데, 남들이 보기엔 절대 위대하다고 볼 수는 없는 수준이었죠. 다 내려놓고 내려온다면 지금이어야 할지도 모릅니다. 하지만 그 대가로 내려놓아야 하는 것들을 생각해보니, 도저히 포기하고 내려올 수가 없었습니다. 못나고 창피하다가도 또 기특한 나의 책들, 내 부족한 자식들을 읽어준 어떤 사람들, 북마켓에서 맛본 '작가님'이란 이름의 달콤함과 사람 만나는 재미 등…. 그러자 누가 정신 좀 차려 보라고, 손바닥으로 등판을 팍 때린 것 같은 충격이 들었습니다. 동시에 체기가 내려가듯 가슴의 응어리가 풀리는 기분을 느꼈습니다.

생각해 보면 아버지 친구분을 뵈었을 때도, 그분이 대뜸 저를 보고 그렇게 묻더라고요. "네가 그렇게 인기 작가라면서?" 아마 예전에 〈망한 여행사진집〉 건으로 인터넷 뉴스에 실린 이야기를 아버지께 한 적이 있었는데, 아무래도 그걸 백배 천배 부풀려서 친구분들에게 자랑해 오셨던 모양입니다.

생각보다 굳건히 지켜온 너 자신은 누군가의 Pride
자리는 작을 수 있지만 널 여기까지 잘 몰고 왔어

그 자리에서는 그냥 씁쓸하게 웃고 말았는데, 다시 생각해보면 제 생각과 달리 아버지와 가족들은 제 하는 짓이 창피하지는 않았나 봅니다. 어쩌면 남은 가족들의 마음속 평화를 되찾기 위해서는, 비록 하는 짓은 미약하더라도 가던 대로 가는 편이 더 나을지도 모르지요. 사실 사람이 하루아침에 싹 변해버려도 많이들 불안해하잖아요, 막 죽을 때가 다 돼서 그런다면서. 그러니까 여전히 조금 철딱서니 없어 빼도, 하루를 살려고 꿈틀대고 배짱 좋게 꿈꾸는 옛날 그대로. 그냥 그렇게 가족들 곁에 버티는 것도 좋겠다고 생각했습니다. 어쨌든 두 노래 속 그들의 가사에 따르면, 지금 저는 아주 잘못 살고 있는 건 아니었습니다.

난 그중에 가사를 파는 일을 하고
누군 사무실 누군가는 밖 혹은 학교
어디에 있든 무엇을 하든 그건 중요치 않아
열심히 사는 너와 난 하나 여긴

God, The God of small things

그렇게 허클베리피의 일갈과 넉살의 카랑카랑한 응원으로 무언가를 깨달은 그날, 전 갑자기 다시 글을 쓰고 싶어졌습니다.

생각해보면 참 신기하지 않습니까? 사실 우리는 너무 다르게 살아왔고 서로 알지도 못하는 사이… 아차, 엄연히 말하자면 저야 그분들을 알긴 하지만 그 래퍼들은 제가 어디 사는 누구인지 모르니까요. 하여튼 그런 사람들이 각자 자기 하고 싶은 말만 하는데도, 그게 어느 날 생판 남인 제 삶에 찰떡같이 녹아들어 제 정신줄을 부축하는 지팡이가 된 겁니다. 게다가 저와 비슷한 경험을 해봤다는 사람들이 생각보다 많더라고요. 그것도 노랫말 말고도 영화나, 책이나… 아주 제각기 모양으로 만들어진 타인의 말에서 말입니다.

그래서 그날 이후론 가끔 혼자 그런 생각을 해보곤 합니다. 조금만 더 해보면, 언젠가는 내 글도 그들의 가사처럼 그렇게 누군가에게 닿을 수 있지 않을까?

그래 난 그 상상의 노예
그게 내 두 발을 잡아끄네

——

사실 몇 달이 흐른 지금도 상황은 그렇게 많이 나아지지 않았습니다. 가족 모두가 그 전의 일상을 되찾으려면 아직은 좀 더 시간이 필요할 듯싶고, 저는 조금씩 다시 글을 쓰기 시작했지만, 아직 새 책을 내기까지는 갈 길이 멉니다. 지금 이 이야기도 추석 시즌 아르바이트에 찌들어서 틈틈이, 시간에 쫓겨 쓰고 있어요.

　그래서 아직도 저는 그냥 미미한 책을 쓰는 사람일 뿐입니다. 하지만 먼 훗날 언젠가,

　아직도 내가 랩을 하고 있네?
　아직도 걔가 랩을 하고 있대!

　이런 식의 여유를 가지고 지금 시간을 되돌아볼 수 있었으면 좋겠습니다.

허클베리피 **Everest** 음악, 2015

2015년 싱글로 처음 공개된 후 2016년 EP 〈점〉에 재수록된 곡. 매스컴의 스타로 사는 대신 자신만의 뮤지션 외길을 고집해 왔던 허클베리피 본인의 인생을 에베레스트 등정에 비유해 그려낸 노래이다. 높아지는 산의 고도처럼 극적으로 상승하는 랩과 비트의 조화가 일품. 비록 절망을 거듭해도 패배자로 남고 싶지 않은 자존심과 언젠간 정점에 닿을 수 있으리라는 '가짜 긍정'으로 버틴다는 그의 고백은, '좋아하지만 쉽지 않은 일'에 뛰어든 사람이라면 모두 절절히 공감할 것이다.

넉살 **작은 것들의 신** 음악, 2016

2016년 넉살의 첫 정규 앨범 〈작은 것들의 신〉에 수록된 동명의 곡. 빈곤과 좌절, 인정받지 못한 분노, 작은 희망과 연민, 마지막 남은 자존심 등이 뒤섞인 그의 앨범에서 가장 마지막 트랙에 자리 잡은 노래이다. 자기 자신을 비롯한 세상의 여러 '작은 것'들의 삶을 지켜본 경험을 하나의 인생관으로 정리해 낸, 이 앨범의 결말이라고나 할까. 그저 '살기 위해 살아가는' 자기 자신을 포함한 모든 작은 것들을 위한 (요즘 '이쪽 바닥'에서는 보기 드문) 휴머니즘이 돋보이는 곡.

언젠가 땅콩이로 인해

___

피치코니

"

너의 시간은 내 시간보다 빠르게 흘러가지만

약속해 어느 날 너 눈감을 때 네 곁에 있을게 지금처럼

그래 난 너로 인해 많이 울게 될 거라는 걸 알아

하지만 그것보다 많이 행복할 거라는 걸 알아

"

___

가을방학 **언젠가 너로 인해** 음악, 2013

반려동물을 곁에 둔다는 일이 같은 시간을 살지 못한다는 의미로 접어들어간다는 것을 알게 되었을 때 즈음 나는 한 듀엣 가수의 다음과 같은 가사를 비로소 이해하게 된다.

　　너의 시간은 내 시간보다 빠르게 흘러가지만
　　약속해 어느 날 너 눈감을 때 네 곁에 있을게 지금처럼
　　그래 난 너로 인해 많이 울게 될 거라는 걸 알아
　　하지만 그것보다 많이 행복할 거라는 걸 알아

이 언어를 누구와 함께 공유할 수 있을까. 이 비련의 최전선에 있는 언어를. 사람과는 공유할 수 없는 비련을 대신 공유할 수 있는 네가 내게는 있다.

땅콩이가 우리 집에 처음 온 것은 14년도 6월. 꽉 채운 4년 하고도 몇 개월을 함께 살았다. 처음 데리고 왔을

때 유기견센터나 동물병원에서 많게는 5,6살까지 추정했는데 4년이 지난 지금까지도 사람들이 "강아지 몇 살이에요?" 하고 물어보면 나는 "6살 정도 되었어요." 하고 대답한다.

험난한 견생을 살았더랬다. 정확히는 알지 못하지만 어린 적엔 어미와 떨어져 마당견으로 살며 그 작은 체구에 쇠사슬 목줄을 매고 더운 날 더운 곳에서, 추운 날 추운 곳에서 쓰레기 사료를 먹으며 버텼고 유기견 센터에 들어갔다 온 적도 있으며 큰 병에 걸려 죽을 고비도 몇 번을 넘겼다. 아직도 땅콩이가 쓰러졌었던 나의 스물세 살 가을이 기억난다. 외출 후 돌아와보니 현관 앞에 쓰러져있던 너. 의식을 잃어가는 중에도 반갑다며 꼬리만 겨우 치고 있던 너. 병원에서는 급성 간염이니 곧 죽어도 이상하지 않은 아이라는 말을 들었고 제발 사망 연락만 받지 않기를 얼마나 바라며 면회실을 떠났던지. 다행히 초년 운은 나빠도 중, 말년 운은 좋은지 땅콩이는 숱한 고비와 생사의 갈림길에서 기적처럼 회복해 우리 집에서 아주 늘어진 팔자로 잘 먹고 잘 싸고 잘 잔다.

오늘은 미용을 시켰다. 항상 다니는 미용실이라 말하지 않아도 언제나 똑같이 깎아주신다. 길이 3mm, 얼굴 동그랗게, 귀랑 꼬리 전부 바짝 밀기. 곁에 있어서 늙는 것을 몰랐는데 두 달 만에 본 땅콩이의 분홍빛 속살에서 제법 나이 들어가는 모습이 보인다. 강아지의 1시간은 사람의 7시간에 해당한다고 하는데. 그렇지, 처음 만날 때 22살이었던 내가 26살이 되었는데 네가 안 늙었을 수는 없지. 얼마나 빠른 속도로 늙어가고 있을지. 나의 귀가를 기다리며 얼마나 많은 하루를 보냈을지.

단어는 내뱉음으로써 존재한다는 생각을 자주 한다. 나는 모친의 사망 이후로 그 단어를 잃어버려 사용하지 않고, 글의 원천이 되는 나의 생활 이야기를 할 때도 그, 그 사람, 당신 이런 식으로 타자화를 한다. 땅콩이는 내가 타자화를 하지 않는 거의 유일한 존재다. 그럼에도 부친과 약속을 한 적이 있다. 땅콩이가 나중에 죽으면 그가 어떤 장례예식보다도 정성 들여 염을 예쁘게 해줄 테니 슬픔에 오래 빠져있기 않기로.

나는 남겨지는 쪽에 제법 익숙하다. 너무 오랜 시간 동안 빠져있지는 않겠지만 땅콩이의 세계는 모두 나라는 것을 알고 있다. 튼튼한 세계가 되어주기로 한다.

창백한 푸른 점의 모스부호

―――
우엉

"

다시 만나기로 했어
다시 볼 수 있기로 했어
수많은 약속들은 아직 살아있다
"

―――
짙은 **S.O.S.** 음악, 2017

••• – – – •••

••• – – – •••

••• – – – •••

K는 SOS가 'Save Our Souls'의 이니셜이라고 했다. 그냥 모스부호가 가장 쉬워서 그런 건데? 내가 비웃듯이 말한다. 돈돈돈 쓰쓰쓰 돈돈돈, 몰라? 나는 K에게 그의 노래를 들려준다. 잘 들어봐, 앞에 이 소리가 바로 SOS 모스부호 소리야. 살려달라는 소리야. 그렇게 우리는 잠시 우주에 다녀온다. 돈돈돈 쓰쓰쓰 돈돈돈, 꼭 기억해야겠네. K가 나를 쳐다보며 말한다. 나는 갑자기 확중력을 느낀다. 이 익숙한 기분, 짐이 되는 기분.

고등학교 시절, 지구과학 선생님은 우리에게 창백한 푸른 점Pale Blue Dot 얘기를 해주셨다. 그러니까 지구는 우주라는 광활한 곳에 있는 너무나 작은 무대이고, 우리가 사는 이곳은 암흑 속 외로운 얼룩일 뿐이라는, 가히

충격적인 말이었다. 손가락으로 문지르면 사라질 것처럼 희미한 먼지. 나는 이 푸른 먼지 속에 사는 그보다 더 작은 존재구나. 선생님의 의도와는 상관없이, 나는 왠지 그때부터 지금까지 내 자신이 하찮게 느껴졌다.

나는 지금 이 별에 떨어진 채
슬픔의 모습으로 살아있다
그대들로부터 멀리 사라진 채
보이기 힘든 사람으로

언제부턴가 이 창백한 푸른 점을 증오하기 시작했다. 아무래도 이번 생에 착한 딸은 글렀단 생각을 한다. 나는 파도만도 못해서 세상을 밀어내기만 할 뿐 돌아올 생각을 안 한다. 집을 나서는 걸음마다 차마 갔다 올게, 하지 못 하고, 갈게(오지 않을지도 몰라), 해야 했다. 창백하고 푸른 먼지 안은 오늘도 말이 많다. 지겹도록 소란스러운 세상이다. 언제는 청소는 자주 할수록 좋다더니 오늘은 결벽증이라며 병원에 가보라 한다.

나는 숨을 참기 시작한다. 하나, 둘, 셋, 이대로 백까지 버티면 소원이 이루어진다는 미신이 아직 유효하다고 믿는다. 그래서 아흔아홉까지 안간힘을 써보지만, 역시나 소원은 쉽게 이뤄지는 법이 없다. 어차피 참을성 없는 아가리는 백을 세기 전에 터져버리니, 또 먼지 가득한 하루일 것을 알아서. 나는 여전히 쉽게 소원을 빈다. 기대도 없이, 파도만도 못하게 하루하루 가위표만 늘어나는 내 달력. 싫어하는 것들이 늘어날수록 가장 싫어지는 건 하찮은 내 자신이다.

> 하루는 그만큼의 멀어짐
> 커져가는 우주의 스며드는 어둠
> 끊임없이 기록되는
> 역사에 담기지 못한 나의 일들

어젯밤엔 다큐멘터리에서 본 별과 별이 충돌하던 장면을 떠올렸다. 두 별이 충돌해야만 금이나 은 같은 무거운 원소들이 만들어집니다. 나레이터는 별의 죽음에 대해 대수롭지 않다는 듯 건조하게 말했다. 나는 그 앞에서 턱을 괴곤 생각했다. 나도 부서져야겠다, 부서지고 부서져서 금이나 은 같은 쓸모 있는 사람이 되어야겠다.

그래서인지 매번 술에 취해 집으로 돌아올 때면 달려드는 빛 속으로 몸을 던지고 싶은 충동을 느낀다. 일렁이는 빛 속은 내게 따듯하고 포근한, 적당히 식은 욕조 물같이 보였다. 내 몸이 늘어진 카세트테이프처럼 그 안을 유유히 헤엄치다 산산조각 나고, 박이 터지듯 금이나 은이 몸 안에서 쏟아져 나오는 상상을 한다. 하지만 우습게도 나는 술만 취하면 괜히 어울리지도 않게 효율성이

나 실용성 따위를 재기 일쑤였고, 그래서 조용히 가던 길을 가곤 했고, 해장을 위한 아침 메뉴를 고민하며 깨어날 수 있는 잠에 든다.

사실 파도만도 못한 내가 유일하게 돌아올 수 있는 길이 있는데, 바로 눈을 감는 것이다. 나는 눈만 감으면 쉽게 어디로든 돌아갈 수 있다. 그러니 갔다 올게, 할 수 있다. 눈을 감고 태아처럼 몸을 웅크리고 중력을 벗어나는 상상을 한다. 한 마리의 유령이 되어 밤하늘을 가로지른다. 멀리, 더 멀리 날아간다. 나의 집이, 나의 동네가, 나의 세상이 하나의 창백한 푸른 점이 될 때까지. 나는 보이저 1호가 되어 사람들의 곁을 빙빙 돈다.

다시 만나기로 했어
다시 볼 수 있기로 했어
수많은 약속들은 아직 살아있다

모든 게 흘러갔어
당신은 나를 보고 있어
수많은 약속들은 아직 살아있다

사실 어쩌면 백 전에 터져버리는 아가리는 내 안의 또 다른 내가 터뜨리는 일종의 모스부호일지도 모른다. 돈돈돈 쓰쓰쓰 돈돈돈. 살려달라고, 죽고 싶지 않다고,

나를 기억해달라고. 창백한 푸른 점 위에서 소리치고 있다. 나는 숨을 참다가 눈을 감고 사람들을 떠올린다. 엄마와 동생, 할머니와 이모, K와 친구들과의 수많은 약속들이 한꺼번에 밀려오면, 나는 또 참을성 없이 백을 세기 전에 아가리를 터뜨린다. 만개하는 꽃처럼 새 숨이 트인다. 나는 오늘도 태양 아래 하루하루 피고 지는 나팔꽃처럼 살아간다. 그래, 인생은 내일이면 다 잊을 한 편의 킬로노바 페이크 다큐멘터리일 뿐.

　　눈물이 흐르고 바람이 머물면
　　모든 게 흘러가겠지
　　수없이 멀어진 너희의 태양과
　　이 곳의 공기가

아주 사적이고도
흔한 이야기

―

우엉

"

나는 언젠가 후회하게 될까
오늘 엄마의 전화 받지 않은 것
내 평생 아빨 용서하지 않은 것
키우는 고양일 세게 때렸던 것
"

―

이랑 **가족을 찾아서** 음악, 2016

이건 꽤 오랜 시간에 걸친, 아주 사적이고도 흔한 이
야기다.

내 안에 있는 그 노랠 찾아서
내가 살고 싶은 그 집을 찾아서
내가 사랑할 그 사람을 찾아서
내가 되고 싶은 가족을 찾아서

교과서에서 나오는 가족을 부러워했다. 다정한 인사
를 나누는 아침과 따뜻한 대화를 나누는 저녁. 곰곰이 생
각해보면, 아주 어릴 땐 잠시나마 그랬던 시절도 있었던
것 같기도 하다. 하지만 언제부턴가 엄마, 아빠 얼굴보다
우리 집 강아지 얼굴을 보는 시간이 더 많아지기 시작했
다. 나도 자연스럽게 몸이 자랄수록 집에 있는 시간이 적
어졌다. 먹고 자기만 하는 우리 집이 점점 낯설어지기 시
작했다. 딱히 생활에 있어 불편함을 느끼지는 않았지만,
뭔가 이상하다는 느낌은 늘 있었다.

이건 뭔가 되게 크게 잘못된 것 같아

키가 더는 자라지 않게 되었다. 새 친구를 많이 사귀었고, 와중에 애인도 여러 번 바뀐다. 가끔 술을 마시고, 가끔 여행을 떠난다. 나는 집에 있을 때보다 밖에 있을 때 훨씬 친절한 사람이 된다. 사람들은 그런 친절한 나를 좋아하고, 또 친절하게 대해준다. 고마운 사람들이 늘어날수록 나는 자꾸만 밖으로 나가고 싶다. 친절한 내가 좋아 자꾸만 밖으로 나가고 싶다. 오늘도 나가니? 언제부턴가 할머니는 내가 옷만 입으면 늘 같은 말씀을 하신다. 앞에선 할머니의 제일 친한 친구인 TV가 세상일에 대해 한창 떠든다. 아무래도 우리 할머니는 딱 하나만 빼면 세상일에 대해 모르는 것이 없을 것이다. 내가 어떤 마음을 가지고 살아가는지만 빼면.

이건 뭔가 되게 크게 잘못된 것 같아

말에도 퇴고가 있다면 좋겠다고 생각한다. 평소 분명 친절한 나는 집에만 들어오면 그게 잘 안 된다. 쉽게 욱하고 화내며 언성을 높인다. 밖에서는 잘만 나오는 미안합니다, 죄송합니다 따위가 집에서는 나올 기미조차 없다. 내가 뭘 잘못했는데. 나에 대해 뭘 아는데. 나에 대해 이야기해준 적도 없으면서 정답 없는 스무고개를 한다. 왜 그거 하나 못 해주냐며 서로를 할퀸다. 짐승은 인간보다 자연재해도 빨리 알아차린다더니, 우리 집 강아지는 진작에 식탁 밑에 기어들어가 우리를 못 본 척한다. 너 미쳤어? 하면 이제 알았냐 소리를 지른다. 그래, 나 미쳤다! 방문을 쾅 닫고 들어가버린다. 도망칠 곳이 겨우 집이라는 게 그저 서럽기만 하다.

이건 뭔가 되게 크게 잘못된 것 같아

똑똑. 누군가 방문을 두드리고 문을 연다. 밥 먹어. 안 먹어, 라고 말하려는 순간 내가 좋아하는 우리 집 된장찌개 냄새가 난다. 나는 홀린 듯이 나와 수저를 들고 밥을 퍼먹는다. 눈을 내리깔고 묵묵히 밥만 퍼먹다가 목이 턱하고 막힌다. 그제야 눈물과 콧물이 섞인 채 미안합니다, 죄송합니다, 한다. 밥상머리 앞에서 우는 거 아니라고 한바탕 혼이 난다. 또 미안합니다, 죄송합니다, 한다. 괜찮다, 괜찮다. 나를 달랜다. 우리 집 강아지가 고기반찬 하나라도 달라는 듯 내 옆에서 연신 꼬리를 흔든다. 된장찌개의 구린내가 집 안 가득 퍼져 내 방에서도 은은한 구린내가 난다. 나는 창문을 열지 않기로 한다.

나는 언젠가 후회하게 될까
오늘 엄마의 전활 받지 않은 것
내 평생 아빨 용서하지 않은 것
키우는 고양일 세게 때렸던 것

취미는 후회요, 특기는 자책이로다. 그렇게 여러 날의 반복이었다. 나는 종종 불친절한 사람이 되었다가 또 금세 사과를 하고 다시 돌아온다. SNS에선 익숙함에 속아 사랑하는 사람을 잃지 말자는 글귀가 유행한다. 사람들은 저마다 친구와 애인의 이름을 적어넣으며 행복해한다. 나는 슬며시 그곳에 '가족'을 적다가 남사스러워서 냉큼 지워버린다.

이건 뭔가 되게 크게 잘못된 것 같아

이건 뭔가 되게 크게 잘못된 것 같아

이건 뭔가 되게 크게 잘못된 것 같아

약봉지를 들킨 날, 할머니는 내게 미안하다며 우셨다. 원치 않게도, 병이라는 강력한 무기가 생겨버렸다.

잘못된 것 같아

가끔 K와 졸업 뒤에 무엇을 할지 이야기를 한다. 나는 빨리 독립을 하고 싶다고 말한다. K도 그렇다고 말한다. 너는 이미 기숙사에 살잖아. 기숙사에 사는 것과 독립은 다르다고 K는 주장한다. 본가가 지방인 K는 그래도 집이 최고라고 말하며 내게 부럽다고 말한다. 나는 이해하지 못한다. 가족이랑 같이 살면 좋을 거 하나 없어. 혼자 사는 게 나아. 혼자 살아본 적도 없는 내가 말한다.

K는 내가 나가 살면 다를 거라고 한다. 웃기지 말라고,
그럴 리 없다고, 내가 고집을 부린다. 아무런 속사정도
모르면서 우리는 서로를 부러워하다 자연스럽게 얘기는
점심은 무엇을 먹을지로 넘어간다.

　　그러니까 이건 아주 사적이고도 흔한 이야기
　　— 어쩌면 당신도 그랬을.

폐쇄병동의
백만 송이 장미

피치코니

"

미워하는 미워하는 미워하는 마음 없이
아낌없이 아낌없이 사랑을 주기만 할 때
수백만 송이 백만 송이 백만 송이 꽃은 피고
그립고 아름다운 내 별나라로 갈 수 있다네
"

심수봉 **백만 송이 장미** 음악, 1997

있지도 않던 다섯 번째 사지가 잘려나가는 공간이다. 대학 병원의 암 환자들은 이미 있는 신체기관을 절단하기도 한다는데, 나는 무엇이 절단됐는지도 모른 채 여기 있다. 그야말로 할 수 있는 것이 거의 아무것도 없다. 차가운 자판의 힘을 빌리지 않으면 단 한 글자도 적지 못하는 나지만 여기 폐쇄병동에서는 필기구 하나, 공책 하나라도 반입된 것을 다행으로 삼아야 한다. 그것마저 손목을 찌를 수 있는 뾰족한 펜이나 스프링노트는 불가능하니 대체 얼마나 제한된 것이 많은지. 휴대폰을 만져보지 못한 것도 벌써 며칠이 흘렀다. 휴게실 TV 화면에서 흘러나오는 전화벨 소리는 환상통처럼 나를 따라가게 만든다. 이럴 땐 자괴감이 든다. 나는 왜 갇혀있는 걸까. 아버지는 죄를 지었으니 벌을 받으라고 하셨지만 나는 자살이 '자신을 살해한다'라기 보다는 하나의 주체적 선택이라고 생각한다. 그러니까 그의 "그러면 안 돼."라는 문장도 별로 와닿지가 않아. 나에게는 좀 더 설득력 있는 것이 필요해.

그동안 내 현실이 실제가 아니기만을 바랐던 탓일까?

이번에는 정말이지, 내가 처한 이 상황이 좀처럼 현실같이 느껴지지 않아 병동 복도를 백 바퀴쯤 돌아 보는데도 아무도 의아해하거나 이상하게 생각하지 않는다. 여기서는 다들 허공을 보며 대화하고 있거나, 어째서인지 영어로 소리치고 있거나, 존재하지 않는 아기를 어루만지고 있거나, 죽은 듯이 누워 수액을 맞고 있거나 하는 사람들이 대부분이다. 사는 것이 참 숨이 막히는 일이라고 생각해왔는데 이곳은 그야말로 숨이 턱, 턱 막힌다. 병원에 실려 온 이후로 단 한 번도 바깥으로 나가지 못했다. 병동에 들어온 것이 아버지가 말한 형벌의 의미라면 나는 마치 생각하는 벌이 내려진 사람 같다. 종일 생각을 거듭하는 것 말고는 할 수 있는 것이 없다. 예전부터 사람의 뇌라는 것은 팔다리를 움직이게 할 수도, 멈추게 할 수도 있지만 그 자신은 움직이는 것을 그만둘 줄을 모르니 참 무섭다고 생각했는데, 가만히 갇혀 뇌만 빙빙 굴리고 있는 지금 이 순간 나는 내 자신이 너무 무서워져 무심코 벽에 머리를 쿵, 쿵 찧어버리면 얼른 하지 말라며 달려오는 아주머니가 있다. 나를 '호희'라고 착각하는 아주머니다.

호희가 그분의 딸인지, 아니면 여동생인지 아무도 정확하게는 알지 못하지만 병동 사람들끼리 추측하건대 젊은 나이에 죽은 여성인 것은 분명하다. 병동에서 나는 가장 나이가 어린 여자애고, 그 점이 아주머니로 하여금 나를 '호희'로 착각하게 만든 모양이다. 또한 지금 이 순간은 자아를 잃어버려 나를 자꾸만 호희로 착각하는 그 아주머니가 나를 가장 잘 이해해주는 것만 같은 기분이 든다. 그리고 이어지는 아주머니의 노랫말까지.

　　미워하는 미워하는 미워하는 마음 없이
　　아낌없이 아낌없이 사랑을 주기만 할 때
　　수백만 송이 백만 송이 백만 송이 꽃은 피고
　　그립고 아름다운 내 별나라로 갈 수 있다네

　평소 내가 이 노래를 즐겨 들었다는 것을 알고 부르는 것일까? 노래를 끝낸 아주머니는 쉬지 않고 내게 말을 건다.

　"호희야, 저 창밖을 봐. 별도 있고 달도 있어. 힘들지? 어서 나간다고 말해. 너는 이제 괜찮아."

　정신병원을 소재로 한 소설에서나 볼 법한 이야기 같아 나도 모르게 실소가 나온다. 사지육신 멀쩡한 사람에게 치이고 조현병 환자에게 치유받는 내 현실이라니. 그럼에도 기꺼이 조용히 다가가 그분의 '호희'가 되어드리는 것은 그 어떤 위로보다도 그분의 문상 하나가, 노랫말 하나가 지금의 나에게 가장 큰 위안이 되어주기 때문. 아마 난 평생 이 폐쇄병동의 백만 송이 장미를 잊지 못하겠지.

괜찮아 함께 가도 정상은 나오니까

신지별

베란다 프로젝트 **괜찮아** 음악, 2010

타인을 향한 부정적인 감정이 지금의 나를 만들었다는 사실을 한 번도 의심한 적이 없었다. 사실 맞는 말이었다. 끊임없이 누군가를 의식하는 일만이 내 삶의 원동력이었다. 내 삶의 태도는 깊은 무기력 위에 떠있는 작은 부표 같았다. 스스로 움직이는 일은 없지만, 가끔 이는 바람이 내 주위에 물결을 일으키는 걸 나는 나아감이라고 표현할 뿐인 삶. 내게 있어 바람은 긍정적인 성질의 것이 아니었다. 미움, 분노, 증오, 그 외 사람들이 부정적인 성질의 것이라고 말하는 온갖 종류의 감정들. 그것만이 내게 불어와 내 등을 떠미는 바람이었다.

　　하지만 부정적인 감정은 어떻게든 품고 있는 사람의 몸과 마음을 좀먹는다는 사실을 나는 알면서도 무시하고 있었다. 당장은 티가 나지 않아도, 계속해서 가지고 있으면 언젠가는 무너지는 시기가 온다는 걸 나는 모른 척하고 있었다. 앞으로 나아가고 싶었다. 그러기 위해서는 나를 움직이는 바람이 필요했다. 그 바람이 나를 아프게 할 걸 알면서도.

최근에 오랫동안 몸담고 있었던 모임을 나왔다. 바빠진 일상과 정신적인 부분에 약간의 문제가 생겨 사람을 대하는 여러 행사를 감당하지 못할 것 같다는 게 표면적으로 가장 큰 사유였다. 물론 여러 가지 이유가 더 있었지만, 사실 속마음은 하나였다. 남들이 발전하는 모습을 순수하게 축하해주고 긍정적으로 생각할 수 없게 됐다는 것. 나는 이제 함께 가기로 한 동료들의 미래에도 박수를 보내주지 못하는 사람이 된 거다. 거의 이쯤 되면 인간 실격이 아닐까 싶었다. 왜 나는. 왜 나만 혼자 제자리에 머물러 있는 것 같지. 내 상태와는 상관없이 주변에서는 좋은 소식이 끊임없이 들려 왔다. 나는 그때마다 자꾸 죽고 싶었다. 축하해줄 수가 없어서 일부러 모르는 척을 했다. 평소 같으면 영혼 없는 축하의 말이라도 한마디 건넸을 텐데, 이때는 겉치레조차 제대로 해낼 수 없었다.

　　질투는 이미 지나치게 몸집이 커져 나를 갉아먹고 있었다. 조그맣게 키워가던 꿈은 자꾸 주변의 기대를 만나 부풀어가기만 했다. 언젠가는 내가 감당할 수 있는 만큼보다 더 커져버린 내 꿈이 터져버리는 건 아닐까? 그런 생각이 들어 무서웠다. 더는 꿈을 부풀릴 수 없게 된다면 나는 앞으로 어떻게 살아가야 할까. 조금씩 모여든 두려움은 마음 한구석에 모여 덩어리진 채 썩어가기 시작했다. 어느 날 나는 느꼈다. 몸에 경미한 통증이 느껴진다. 예전 같지 않다. 그런데 정확히 뭐라고 말은 못 하겠지만, 원인은 내 마음에 있는 것 같다.

내 안에 부는 바람이 미워지는 날이면 베란다 프로젝트의 〈괜찮아〉를 듣곤 했다. 어떤 노래 한 곡을 듣는다고 당장 인생에서 엇나간 부분의 답을 찾을 수는 없다. 하지만 내 마음 같은 노래 가사 한두 구절을 마음에 새기고 힘들 때마다 되뇌는 건 분명 좋은 영향을 준다. 베란다 프로젝트의 〈괜찮아〉는 내게 마법 주문과도 같은 노래였다. 가사에서 말하는 상황이 내 상황과 너무 닮아 있어 노래를 들을 때면 나를 위해 누군가가 만든 노래라는 착각까지 들곤 했다. 비슷한 시기에 출발했던 사람들은 이제 연락도 함부로 할 수 없을 정도로 멀리 가버렸고, 제자리걸음만 하는 것처럼 느껴지는 나는 딱 한 줌 남은 나의 입지를 지키려고 아등바등하는 중이었다.

이런 상황에서 베란다 프로젝트의 노래는 큰 힘이 돼줬다. 꼭 먼저 앞서갈 필요는 없다고, 높은 곳에 나 혼자만 있다면 그건 외로운 일이 아니겠냐고 나를 다독여주는 가사에 기대 마음을 달랬다. 그래. 산 정상에 혼자만 설 수 있다는 법 같은 건 없었다. 다른 사람의 성공이 꼭 내가 설 자리를 뺏는 건 아니었다. 하지만 나는 자꾸만 타인의 성공을 내가 설 자리를 뺏겼다는 말로 받아들이고 있었다. 그래서 피해의식이 생겼고, 나를 좀먹으면서까지 타인의 자리를 뺏어야 한다는 생각을 하게 됐던 건지도 모른다. 노래를 듣고 나면 마음이 조금은 너그러워졌다. 나 혼자만 높은 곳으로 올라가야 한다는 생각이 아닌, 마음이 맞는 사람들과 함께 손을 잡고 가고 싶다는 생각이 들곤 했다. 뒤를 돌아봐, 벌써 이만큼 온 거잖아. 외부로 돌릴 시선을 조금은 거둬들였다. 그리고는 내가 걸어온 길을 봤다. 그러게, 생각해보면 나도 참 대단하다. 어리다면 어린 나이에 벌써 내 책도 한 권 냈지, 가진 다른 재능도 많지, 가고 싶은 길도 정확히 찾아서 차근차근 경험을 쌓고 있지. 잘하고 있다며 다독여줬다. 처음으로.

노래를 듣고 난 뒤 카톡을 열었다. 오래도록 연락하지 않았던 지인에게 먼저 연락을 해 며칠간 미뤄뒀던 말을 용기 내서 꺼냈다. 출간 축하한다고. 상대방은 바로 답을 보내왔다. '고마워! 네 차기작도 기대하고 있어. 저번에는 돈이 없어서 좀 늦게 샀지만, 이번에는 제일 먼저 살 거야.' 한 줄의 문장을 쓰는 일조차 버겁게 느껴지던 날을 뒤로하고 간만에 노트북 앞에 앉고 싶다는 생각이 들었다. 오랜만에 긍정적인 힘에 영향을 받고 글을 쓰기로 결심한 순간이었다.

괜찮다고 말해줘요 ――――――――――

음악

하루의 끝에
집착하는 나

심정은

"

수고했어요 정말 고생했어요

그댄 나의 자랑이죠

"

종현 **하루의 끝** 음악, 2015

잡을 집, 붙을 착. 집착. 어떤 것에 늘 마음이 쏠려 잊지 못하고 매달리는 것.

내가 잡아 붙들고 늘어지는 것들이 몇 가지 있다. 손을 씻고 꼭 핸드크림을 바르는 것, 고데기 코드를 뽑았는지 그리고 문이 제대로 잠겼는지를 몇 번이고 확인하는 것, 일기나 편지를 쓸 때 꼭 날짜와 시간까지 적어야 하는 것, 약속 장소에 늦는 것이 싫어 일찍 나오는 것, 그래서 돌아가더라도 밀릴 수 있는 버스보단 지하철을 선호하는 것, 작가 일을 했을 때는 자막을 몇 번이고 확인하고도 불안해서 자다가 일어나 또 다시 확인했던 것, 귀가 나빠지지 않게 비강 세척을 하는 것, 노래 가사가 좋으면 꼭 적어놓는 것, 나갈 준비를 하는 내내 특히 샤워를 할 때 꼭 음악을 틀어놓는 것, 그리고 종현의 〈하루의 끝〉을 들을 때는 중간에 끊어 다른 음악으로 돌리지 못하는 것.

〈하루의 끝〉을 들을 때면, 가만히 있어도 땀이 주르

륵 흐르는 여름날일지라도 스물넷 겨울로 돌아간다. 크게 숨을 들이켜면 시린 겨울 냄새가 훅 끼치는 것 같다.

난 오른쪽 귀가 들리지 않는다. 원인은 잘 모르겠다. 애기 때 열병을 심하게 앓았던 적이 있다던데 그게 이유일지도 모르겠다. 여덟 살 첫 신체검사 시간에 처음 내가 남들과는 다르다는 걸 알았다. 엄마와 서울에 있는 대학 병원을 한 달 내내 오가며 관 같이 생긴 MRI 검사 기계 속으로 들어가 검사를 받았다. 귀 모양은 이상이 없는데 원인을 알 수 없다는 진단을 받았다. 허무하게도 그렇다고 하더라. 그래도 한쪽 귀가 안 들리면 다른 한쪽 귀로 들으면 되는 일이었다. 남들보단 덜 들리기 때문에 말을 무시한다는 오해를 가끔 받기도 하지만. 그런데 자꾸만 잘 들리던 귀도 말썽을 부리기 시작했다. 초등학생 땐 귀가 울린다며 학교 안 간다고 떼를 썼고, 중고등학생 땐 듣기평가 시간이 제일 싫었다. 수능 전날엔 종교도 없으면서 내일만큼은 귀가 안 울리게 해달라고 빌었다. 지금보다 방법을 잘 몰랐던 그땐 귀가 울리는 건 랜덤이었다. 짜증 나게.

스물셋에서 넷, 이때는 왼쪽 귀마저 울리는 정도가 아니라 잘 안들렸다 들렸다를 반복하며 끈질기게 말을 듣지 않았다. 그리고 매일같이 울고 싸워댔지만 내 대학 생활의 전부를 함께했다고 해도 과언이 아니었던 남자 친구와 헤어졌다.

그때의 나는 매일 꾸역꾸역 억지로 하루를 삼켜냈다. 쉽게 잠들지 못했던 매일 밤마다 혹시나 내일 눈을 떴을 때 귀가 안 들리더라도 놀라지 말자고 스스로 주문을 걸었다. 그리고 속 시원하게 헤어졌지만, 무한 반복되었던 다툼을 떠올리며 정말 내가 예민하고 정말 내가 이상했던 건지를 하루에도 수십 번 수백 번 곱씹었다.

삼켜낸 하루를 온전히 소화해내기 어려워, 아픈 속만 문지르며 그렇게 매일매일이 소화 불량이었다. 그러던 중에 〈하루의 끝〉을 만났다.

〈하루의 끝〉은 라디오를 진행했던 그가 사연을 토대로 작사, 작곡한 노래였다. 그땐 정식 음원으로 나온 것도 아니라 라디오에서 나온 노래를 녹음한 파일로 들을 수 있었다. 생각 없이 재생 버튼을 눌렀던 나는 숨이 탁 막혔다. 이 노래가 혼자 자취를 하고, 졸업은 해야 하니 잘 들리지도 않는 수업을 꼬박꼬박 나가면서 하루를 겨우 버티던 날 안아주는 것 같았다. 니는 그 곡만 틀어놓고 하루 종일 울었다. 과제를 할 때도, 샤워를 할 때도, 밥을 먹을 때도, 설거지를 할 때도, 잠이 들 때까지도.

그가 멀어져가던 그 시간에, 나는 제주도에 있었다.

회사 엠티라는 행사에 묶여 9인승 렌터카 맨 뒷자리 가운데에 구겨 앉아 멍 때리며 라디오를 듣고 있었다. 엠티 내내 눈치만 보던 막내들 중 하나라서 잠도 못 자고 창밖만 바라봤었다. 그러다 라디오에서 흘러나온 목소리가 퍽 구슬퍼 어플을 켜 노래 제목을 검색했다. 서지원의 〈I Miss You〉. 평소에도 검색한 노래를 캡처해두곤 해서 그날도 자연스럽게 캡처를 했던 것 같다. 자기 전에 다시 들어봐야지 하고. 하지만 나는 한동안 그 노래는 물론 모든 노래를 듣지 못했고, 나중에 캡처해놓은 걸 발견하곤 그때처럼 펑펑 울었다.

상처의 크기는 잴 수도 없고 깊이는 더욱더 따져볼 수 없다. 다른 이의 상처를 누구 맘대로 판단할 수 있을까. 가벼운지 무거운지 얕은지 깊은지. 그래서 나는 늘 〈하루의 끝〉을 들을 때마다 끊지 못하고 4분 37초의 겨울을 보낸다.

'수고했어요, 정말 고생했어요, 그댄 나의 자랑이죠.'

〈하루의 끝〉의 마지막 부분입니다. 이 노래를 만났을 때의 저는, 내가 누군가의 자랑일 거란 생각을 할 수 없었던 상황이었어요. 그리고 지금보다 더 잘해야하고 더 노력해야된다고만 생각했지, 지금까지 나 진짜 고생했어 잘했어 하는 생각은 못 했었거든요. 그래서 노래가 끝나고 더 펑펑 울었던 것 같아요. 그렇게 위로받아 무언갈 시작해보고, 즐겁다가도 힘들어지고. 그래서 다시 위로받고를 반복했어요. 지금도 여전히 마찬가지고요.

———

함께 추천하는 다른 작품들

종현 **따뜻한 겨울** 음악, 2017
종현 **우린 봄이 오기 전에** 음악, 2018

이 두 곡도 종현의 노래 입니다. 주로 〈하루의 끝〉 - 〈따뜻한 겨울〉 - 〈우린 봄이 오기 전에〉 순으로 듣곤 합니다. 아직도 제 플레이리스트 첫 번째, 두 번째, 세 번째 곡으로 자리하고 있어요. 특히 〈따뜻한 겨울〉은 지난 겨울 동안 가장 많이 들은 곡입니다. 정말 뼛속까지 아릴 정도로 시린 겨울이었지만 그래도 덕분에, 전혀 안 추웠어요.

원숭이를 키우는 사람들

___

우엉

"

오 그대여 부서지지 마
바람새는 창틀에 넌 추워지지 마
이리와 나를 꼭 안자
오늘을 살아내고 우리 내일로 가자
"

___

새소년 **난춘** 음악, 2018

봄은 늘 새로운 시작처럼 여겨진다. 새로운 것들은 항상 낯설게 다가오고, 그때마다 나는 잔뜩 설레거나 겁을 먹는다. 그래서 봄은 내가 가장 좋아하는 계절이면서도 싫어하는 계절이다. 봄이 되면 사람들은 갑자기 분주해진다. 나는 뒤떨어지지 않기 위해 내 몸을 구겨서라도 모양새를 맞춰 어떻게든 그들 틈을 비집고 들어간다. 사람들이 바쁘게 아지랑이처럼 피어난다. 말 그대로 난춘亂春이다.

> 그대 나의 작은 심장에 귀 기울일 때에
> 입을 꼭 맞추어 내 숨을 가져가도 돼요

그러다 가끔, 아주 가끔 나는 너무 바빠 숨 쉬는 법을 까먹는다. 어, 그거 어떻게 하는 거더라. 생각은 흘러가는데 행동은 얼어붙는다. 사람들이 내 주위로 몰려든다. 그냥 가주세요 제발, 오지 마세요. 나는 순식간에 쥐구멍에라도 숨고 싶은 동물원 원숭이가 된다. 당황한 원숭이는 뒤도 안 돌아보고 정글로 도망친다. 정글에 숨어 세상이 잠잠해질 때까지 숨을 죽이는 원숭이. 딱 죽지 않을 만큼의 시간을 보내고 나면 자연스레 나는 사람으로 돌아온다. 하지만 나는 언제 또 원숭이가 될지 몰라 최대한 숨어다니기로 한다.

어지럽고 속이 메스껍고 명치에 돌이 얹어진 것 같은 상태. 물론 사람마다 증상은 다르겠지만, 나는 꽤 쉽게 나와 비슷한 사연을 지닌 사람 혹은 원숭이를 만나기도 한다. 어떤 이는 사람이 많고 시끄러울 때 원숭이가 되고, 다른 어떤 이는 혼자 있을 때 원숭이가 되고, 또 다른 어떤 이는 시도 때도 없이 원숭이가 된다고 했다. 저주 같아요. 내가 말한다. TV에는 어느 잘나가던 연예인이 그놈의 저주 때문에 방송 생활을 중단한다는 뉴스가 잠깐 떴다 사라진다. 나는 괜히 생각이 많아져 말 없이 TV를 끈다.

저무는 아침에 속삭이는 숨
영롱한 달빛에 괴롭히는 꿈
네 눈을 닮은 사랑, 그 안에 지는 계절
파도보다 더 거칠게 내리치는

K는 한껏 들뜬 목소리로 내게 벚꽃놀이를 하러 가자고 한다. 나 꽃놀이 싫어해. 왜? 너 꽃 좋아하잖아. 그래

서 꽃집에서도 일했잖아. 예상치 못한 상황이라는 듯 K가 묻는다. 벚꽃보다 사람이 더 많을걸. 벚꽃이 그렇게 보고 싶으면 집 앞 공원에서 보면 되잖아. 내가 창문을 가리키며 통명스럽게 말한다. K는 실망한 표정이다. 나는 왠지 미안해진다. 하지만 네 앞에서 원숭이가 되고 싶진 않은걸. 나는 처음으로 K에게 저주에 대해 입을 연다. K는 미안하다고 말한다. 아니, 내가 더 미안. 아마 나는 K와 평생 벚꽃놀이도 불꽃놀이도 못 가줄 것이다.

남들은 아무렇지도 않게 해내는 것을 못하는 건 어마어마한 상실감을 키워낸다. 내가 고작 이런 인간인가. 한없이 작아져서 없어지고 싶은 기분. 그러다가도 누군가가 내 손을 꼭 잡아주면 그게 그렇게 또 위안이 된다. 부서지지 말라고, 이리 와 나를 꼭 안자고. 그러니 여러분 주변에 숨어있을 많은 원숭이들의 손을 잡아주라고, 나는 말한다. 그리고 그녀도 울부짖듯이 내게 말한다.

오 그대여 부서지지 마
바람새는 창틀에 넌 추워지지 마
이리와 나를 꼭 안지
오늘을 살아내고 우리 내일로 가자

봄꽃이 흐드러지게 피는 계절은 매년 온다. K의 손을 꼭 잡은 채, 중화동 놀이터 벤치에 앉아 팝콘처럼 피어오른 벚꽃을 본다. 아이들은 떨어진 벚꽃 잎을 주워 소꿉장난을 하고 그 옆을 길고양이가 무심히 지나간다. 여전히 난춘이고 축제인 이곳. 나는 무사히 부서지지 않고, 저주가 없는 세상을 꿈꾸며, 오늘을 살아내고 내일로 간다.

안녕하길 바라며
안녕

—

홍성하

—

박지윤 **4월 16일** 음악, 2009

십 년 전쯤에 잠깐 쓰다 만 일기장에 이런 문장이 쓰여 있다. 언젠가 오늘 이 일로 슬프지 않은 날이 오거든, 그때의 나는 이미 내가 아닐 테니 차라리 그 전에 죽으라고.

슬픔도 오래되면 딱지가 앉는다. 뜯어 들춰보면 피며 진물이며 눈물 같은 것이 여전히 그득할지 모르지마는, 어쨌든 우리 바깥의—이를테면 밤낮 젖어있던 눈물 샘이라든가, 쓸데없이 구겨지고 펴지기를 자주하는 얼굴의 표정이라든가, 듣다 보면 꼭 울음이 되는 목소리 같은—것들은 시간이 지나면 마른다. 마르는 법이다. 상처를 감추고 짐짓 다 나은 척, 단단해지는 것이다. 그리하여 만나서 인사를 나누고 안부를 묻는 우리들은 대개 안녕하다, 안녕해 보이고, 설령 그렇지 않다 하여도 안녕한 듯 살다 보면 언젠가는 정말 안녕해진다. 그런 것을 비참하게 여기던 때가 있었다.

예민한 슬픔이 내 장기 중 제일가는 것이고 그것으로 수집한 우울만이 내가 거둔 유일한 성취라고 생각했던 시절의 이야기다. 그때 나는 오래된 달력에 체크해놓은 낡은 기념일들이 돌아올 때마다 울었다. 거의 의례에 가까운 행위였다. 가끔은 잘 찾지도 않던 술을 마시거나 공연히 슬픈 영화를 틀기도 했다. 특이한 일은 아니라고 말하고 싶다. 왜, 그런 사람들 있잖은가. 슬픔으로부터 벗어나려고 하지 않는 사람들. 주변 사람들이 같이 울어주고, 위로하고, 격려하고, 심지어는 화를 내도 오래오래 흐느끼고만 있는 사람들. 나도 그런 부류 중의 하나였을 뿐이다. 그리고 그 시절을 위한 변명 역시 몇 마디 가지고 있다.

　　슬픔을 극복하려고 노력하지 않았던, 아니 오히려 그것에 더 몰두했던 까닭은 내게 남아있는 것이 오직 그것뿐이었기 때문이다. 무언가를 지독히 사랑해 본 사람은 안다, 너무 사랑스러운 것은 때로 그것의 흔적이나 빈자리까지도 사랑스럽다는 것을. 그리고 우리가 무언가를 잃었을 때 남는 것은 그것이 있었던 마음의 어느 자리와 그것이 이제 없다는 사실 둘뿐이다. 그러니 내 사랑의 대상이 그것들로 등치되면 좀 어떤가. 내 사랑이 실존했음을 증명할 방법이 이제 고작 그것뿐인데. 오직 슬픔으로만 떠난 것을 추억할 수 있는데. 슬퍼하지도 않는다면, 내 사랑은 이제 정말 아무것도 아닌 게 될 텐데.

안다, 안다. 그래봐야 결국에는 모두 거짓말이 된다. 마음은 달처럼 수시로 기울고 약속들은 어겨지기도 전에 잊힌다. 베갯잇 다 젖도록 울었던 밤들도 물이 좀 빠지면 그럴싸한 추억으로 술 취한 입술 위에서 오르내리게 될 것이다. 아무리 노력해도 그렇게 된다. 살아서 하루 더 숨 쉬는 까닭으로, 어쩔 수 없이. 나도 그랬다. 시침이 흐르는 동안 마음은 마르고, 딱지 밑의 상처도 아물어, 언젠가는 정말로 안녕해져버렸다.

그저 인정하고 싶지 않았을 뿐이다. 알아주는 사람도 없는데 다만 스스로에게 증명하기 위하여 계속해서 마음에 상처를 냈다. 아픈 만큼 여전히 사랑해, 날 떠난 것들아. 안녕한 삶을 부끄럽게 여겼고, 누가 이제 행복해져도 괜찮다고 말해주면 도리질을 치며 고집을 부렸다. 아직 나는 아프고 앞으로도 아파할 거야.

그 슬픔의 강박으로부터 나를 풀어준 것은 어느 겨울 문득 듣게 된 박지윤의 목소리였다. 정확히는, 그녀가 부르는 노래가 그랬다. 모든 슬픔이 언젠가 아무것도 아닌 일이 될 것을 인정하고, 남아있는 모든 미련을 한 시절의 일로 남겨둔 채 부르는 이별의 노래.

그녀는 '행복했던 순간들도 지나고 나면 모두 다 추억일 뿐'이라고 했다. 그것은 '고통스러운 순간들도 언젠가 다 무뎌진다'는 흔한 위로보다 더 잔인하게 나를 치유하는 말이었다. 나는 처음으로 이런 생각을 했다: 어쩌면 좋은 이별은 모든 슬픔과 남아있는 마음에도 불구하고 앞으로의 서로가 안녕한 것일까. 그래도 괜찮다거나 그래야 한다거나 하는 문제가 아니라, 어차피 그렇게 되고 마는 것일까. 그렇다면 나는 그저 나쁜 이별의 시간을 붙잡고 있는 것에 불과한 게 아닐까.

사랑했던 날에 제목을 달아 남겨두더라도 마음은 이제 떠나보낼 것. 그 담담한 작별가가 고집스러운 내게 건넨 것은 그런 제안이었다. 다정한 음률을 따라 걸으며 어느새 내 마음도 그것을 수락하는 쪽으로 기울었다. 그리하여 노래를 거듭해 듣는 동안 겨울이 지나가고 누군가에겐 특별한 날이었을 4월 16일도 지나가고 무슨 기일처럼 챙겼던 내 이별의 어떤 하루들도 모조리 지나갔다. 나는 슬퍼하지 않았다. 아니, 아예 잊어버리고 있었다. 잊어버리고 있었다는 사실을 깨닫게 된 다음에도 굳이 슬퍼하지는 않기로 했다.

내 길었던 이별의 시간들이, 마침내 그렇게 등 뒤로 갔다.

황금 비를 기다리는 자

우엉

"

자꾸만 슬퍼와 꿈결 같던 지난날
멀리선 기억이 잊으면 내게 와요
날 찾아와요

"

신해경 **다나에** 음악, 2012

나는 꿈과 희망의 나라, 놀이동산을 싫어한다. 아이들에게 불량식품을 파는 어른들의 개수작 같아서. 결국엔 전부 꾸며낸 거짓인데, 아이들은 그곳에서 인생은 꿈과 희망으로 가득하다는 최면에 걸려 온다. 아이도 아니면서, 나는 술에 잔뜩 취해 집에 돌아와 다짜고짜 꿈과 희망은 왜 붙어 다니느냐며 아이처럼 엉엉 운 적이 있다고 한다. 나는 꿈은 많은데 희망이 없다며, 현실엔 나 같은 이상주의자가 설 곳이 없다며, 떠나고 싶다며 엉엉 울었다고 한다. 솔직히 기억에는 없는 이야기다.

물론 평소에도 현실을 떠나고 싶다는 생각이야 수천 번도 더 들었지만, 나는 오래전부터 머물러만 있다. 맹수는 먹이를 노리기 직전에 가장 고요하지. 그러니 나는 그때를 기다리고 있을 뿐이야. 언젠가는 보란 듯이 떠날 거라고! 팔짱을 끼고 호언장담을 한다. 하지만 목줄을 찬 맹수는 오늘도 다음 서커스를 기다린다. 아니, 사실 목줄을 푸는 법은 오래전부터 알고 있다. 스스로 풀지 않는 것이다. 너무 오래 길들여진 나머지 아직도 떠날 준비가 되질 못한 것이고, 저 자신을 현실에 가두는 것이다. 역시 떠나고 싶다 말하는 건 쉽지만, 떠나는 건 어렵다. 나는 비겁한 겁쟁이에 불과하다.

어두운 내방에 그대는 모빌 같아 눈앞에 떠다니네
이렇게 이상한 난 그대의 에로스에 온종일 고민하네
…
차가운 내 몸에 그대는 세상 같아 네 품에 무너질래
이렇게 흔들린 난 찾아온 애틋함에 온몸이 물들었네

어느 왕은 자신의 딸인 공주가 낳은 손자에 의해 살해당할 것이라는 신탁을 듣고 공주를 청동으로 만든 탑에 가둔다. 그 공주가 바로 다나에, 그리스 신화 속 인물이다. 사람들은 다나에를 페르세우스의 어머니 정도로만 생각하겠지만, 나는 조금 다르다. 다나에는 거울처럼 나를 비춘다. 탑 속에서 구원을 기다리는 공주. 누군가가 구해줘야 하는 공주. 그게 황금 비로 변한 제우스든 누구든 말이다.

기도만 열심히 하면 구원받을 거라 믿던 때도 있었다. 하지만 K를 잃고, 나는 신이 있다면 내가 버림을 받은 게 분명하다고 생각했다. 나는 신은 없다며 미사보를 찢고 바락바락 대들었다. 내 안의 신을 수차례 죽이고,

사람들은 내가 구원받지 못할 거라고 했다. 그러니 아마 나에게 황금 비가 내릴 일은 없을 거다. 그럼 나는 어느 시인*의 말을 빌린다. 나는 천당 가기 싫어. 그래도 우리 할머니는 여전히 무신론자인 나를 위해 기도를 하신다. 신이시여, 저 어린 것을 구원하소서.

나는 가끔 꿈속에서 K를 만난다. 나는 이만큼이나 자랐는데, K는 그대로. K가 꿈에 나오면 나는 영원히 이대로 꿈만 꾸고 싶어진다. 어차피 희망도 없는 거, 꿈만 꾸면 좋겠다. 난 꿈만 많으니까. 그럼 평생 나는 여기서 살 테야! 또 팔짱을 끼고 호언장담을 한다. 그 순간 K가 한 발 멀어진다. 나는 가지 말라고 애원하지만 애원할수록 더, 영원히 끝나지 않는 터널처럼 멀어진다. 잘못했어요. 나는 다 죽어가는 나의 신에게 제발 한 번만 K를 만나게 해달라고, 때늦은 기도를 한다. 가뭄 같은 내 현실에 한줄기의 황금 비를 내려달라고, 기도한다.

어젯밤 꿈속에 기다리던 어떤 날
멀리선 그대를 잡으면 사라져요
왜 없어져요

아, 아—, 그의 외롭게 울리는 목소리는 그런 나의 기도와 닮았다. 부언가를 간절하게 원할 때 터져 나오는 비명 같은 탄성. 나는 꿈에서 깨어나 다시 현실로 돌아온다. 나는 마지막 K의 얼굴을 떠올린다. 떠오르지 않는다. K의 목소리를 떠올린다. 떠오르지 않는다. K와 나눈 마지막 대화, 마지막 식사, 마지막 인사를 떠올리지만 역시나 떠오르지 않는다. 나는 아, 아—, 목 놓아 아이처럼 울기로 한다. 나를 알지도 못하는 그가 기꺼이 함께 울어준다. 오늘도 그의 마지막 가사가 K 같다는 생각을 한다.

> *자꾸만 슬퍼와 꿈결 같던 지난날*
> *멀리선 기억이 잊으면 내게 와요*
> *날 찾아와요*

K, 그래서 너는 구원받았니?
혹시 지금 천당*에 있니?

*

나는 천낭 가기 싫어
천당은 너무 밝대
빛밖에 없대
밤이 없대
그러면 달도 없을 거고
달밤의 키스도 없을 거고
달밤의 섹스도 없겠지
나는 천당 가기 싫어

마광수 **나는 천당 가기 싫어**

내일은 괜찮은 날이길 바라며

신지별

소란 **참 이상한 날이야** 음악, 2012

그날은 되는 일이 하나 없었다. 새벽까지 잠을 못 이룬 덕에 학교에 지각했고, 잠을 못 자 예민해진 상태니 평소라면 대수롭지 않게 넘길 일에도 짜증을 내다 결국 친구랑 싸웠다. 알고 보니 다음 주 제출인줄 알았던 과제는 그날이 제출 마감이었다. 하필 배점도 큰 편이었다. 집에 돌아오는 버스에서는 울고 싶었다. 왜 나는 되는 일이 하나 없나 싶었다. 이런 날에 하필 노을까지 예쁘면 정말로 눈물이 날 것 같았다. 그래서 이왕 이렇게 된 거 겉으로는 못 울어도 속으로라도 실컷 슬퍼보자며 대놓고 이 상황에 맞는 노래를 재생했다. 소란의 〈참 이상한 일이야〉가 이어폰을 통해 흘러나왔다. 어찌 보면 그냥 얼굴도 모르는 사람이 자신의 꼬인 인생을 한탄하는 노래일 뿐인데, 그 한탄을 듣고 있자면 묘하게 위로기 됐다. 나만 이렇게 꼬인 하루를 보내는 게 아니라는 생각이 들어서일까. 누군가 내게 괜찮다고 말해주기를 바라는 심정이 똑같기도 했고.

생각해보면 전날 새벽에 잠을 이루지 못했던 건 미래에 대한 걱정 때문이었다. 언젠가부터 같이 졸업할 거라고 생각했던 동기들이 하나둘 자퇴나 휴학을 하고, 남은 사람들은 입만 열면 취업 이야기를 하게 됐다. 나는 과연 뭐가 될까. 학점이나 스펙이 좋은 것도 아니고 외향적인 성격을 가진 건 더욱 아니었다. 인생 설계를 똑 부러지게 하고 실행하기는커녕 다음날 점심 메뉴조차 한 번에 결정하지 못하는 우유부단한 인간이었다. 좋아하는 건 많았지만 천재적으로 잘하는 건 없었다. 체력은 쓰레기였고 외모 콤플렉스가 심했다. 자꾸 나의 단점만 생각하다 보니 우울해졌다. 몸은 피곤했지만 잠이 오지 않았다. 그래서 잠을 설쳤고, 늦잠으로 이어진 거다. 하루의 불운은 꼬리에 꼬리를 물고 이어졌다. 아직 오지도 않은 미래를 걱정하다가, 스스로를 자책하다 일어난 일이었다.

일단 다 괜찮다고 말해주기로 했다. 아무도 말해주지 않으니 나라도 나에게 말해주기로 했다. 설령 괜찮지 않아도 괜찮다고, 근거 없는 위로라도 내 자신에게 건네줘야 했다. 밤에는 미래를 진지하게 생각하는 일 따윈 그만두기로 했다. 그러지 않으면 또 잠을 설칠 거고, 다음 날도 이상하게 모든 일이 꼬이는 날이 될 지도 몰랐으니까.

하루를 잘 실패하는 법

"

오늘의 날씨는 실패다 실패다
구름은 지겨웁다 실패다 별로다
뭔가 생각이 나다 말았다
"

나이트 오프 **오늘의 날씨는 실패다** 음악, 2018

나는 일곱 시에 알람을 맞춰 놓아도 여섯 시 오십 분이면 저절로 눈이 떠지는 아침형 인간이다. 딱히 부지런해서 그런 건 아니고, 쉽게 지치는 탓에 일찍 침대에 엎질러져 있기 일쑤라서 그렇다. 말 그대로 일찍 자고 일찍 일어나는 인간이다. 그런 나는 항상 좋은 아침을 보내는 것에 상당히 집착해왔다. 아침을 망치면 그날 하루를 모두 망쳤다고 생각했기 때문이다. 그럴 때면 나는 밖을 나가긴커녕 끼니도 거르며 아무것도 하지 않는다. 정확하게는 할 수 없게 된다. 마치 화분 속 식물처럼 방에 뿌리를 내린다.

　그런 내가 아침을 여러 번 망쳤고, 조금씩 방에 뿌리를 내리는 중이있다. 그래도 커튼을 걷는 일과 화분에 물을 주는 일은 늘 가장 일찍 일어나는 나의 몫이다. 창문 밖을 보고 일기예보도 챙겨 본다. 창밖으로는 비가 내리고, 일기예보에도 비구름이 줄지어 있다. 나는 창문을 열고 화분을 창가에 둔다. 틈 사이로 들어온 빗방울이 내

발등을 툭툭, 친다. 나는 식물이 아니야. 왠지 뿌리가 더 자라날 것만 같아 기분이 나쁘다.

> 좋은 사람이 돼볼까
> 농담을 배울까
> 아니면 아는 사람을 만날 때까지 돌아다녀볼까
> …
> 새로 결심을 해볼까
> 밥을 또 먹을까
> 아니면 동네의 모든 골목길을 돌아다녀볼까

그래, 차라리 밖을 나가자. 나는 뿌리를 잘라내기 위해 안간힘을 쓴다. 비록 밖에 비가 오기는 해도 막상 나가면 즐거운 일이 가득할 거야. 나는 희망차게 치약을 푸욱 짜보지만, 철퍽, 질펀한 소리와 함께 치약이 바닥에 떨어진다. 아, 젠장. 절로 욕이 튀어나온다. 게다가 입으려고 꺼낸 셔츠엔 알 수 없는 얼룩이 묻어 있고, 립스틱을 바를 때는 꼭 재채기가 나온다. 버스는 오늘따라 왜 이렇게 나를 기다리게 하지. 모두 뿌리를 잘라내려고 시작한 일들인데, 오히려 한 뼘 자라난 느낌이다. 나는 차라리 이 모든 걸 날씨 탓으로 돌린다.

오랜만에 만난 K는 여행 중에 만난 외국인 친구에 대해 이야기를 하는 것 같다. 사실 나는 뿌리를 감추기 급

급해서 K가 하는 말에 도통 집중이 안 된다. 참다못해 K에게 날씨 때문에 우울하다고 말하니, 갑자기 내게 이상한 나라의 앨리스 얘기를 한다. 내 기분은 내가 정해. 오늘 나는 '행복'으로 할래. 이런 대사가 있다고 한다. 거참 속 편한 소리네. 내가 부러움에 비아냥거린다. 그러게. 기분을 정할 수 있다면 얼마나 좋을까. 그랬다면 이렇게 거추장스러운 뿌리 같은 거 달고 다니지 않아도 될 텐데. K는 기분 전환할 겸 맛있는 케이크를 먹으러 가자 한다. 나는 기분은 그렇게 쉽게 전환되는 게 아니라고 따지고 싶지만 애써 참는다.

  무슨 생각을 해봐도
  준비가 안 된 것만 같아
  커피를 마시고 나면 뭔가
  좋은 생각이 날까
  그러면 조금 달라진 기분일까

　집에 돌아와 거실 한가운데에 또 한껏 엎질러진다. K에게서 오늘 즐거웠다는 문자가 온다. 나는 답장은 잠시 미루기로 한다. 한쪽 귀가 바닥에 닿으니 집의 녹소리가 들리는 것만 같다. 웅웅, 쿵쿵, 뚝뚝 같은 소리. 그 사이로 창밖의 빗소리가 다른 쪽 귀를 집요하게 파고든다. 조용히 해. 허공에 대고 외치니 부르지도 않은 우리 집 강아지가 나를 쳐다본다. 너 말고. 나는 눈길 한 번 주지 않고 등을 지고 눕는다. 방해하지 마.

　모든 게 귀찮다는 듯 이어폰으로 귀를 막아버린다.
자꾸 예상을 빗나가는 낯선 코드 진행과 올라갈 만하면
뚝 떨어지는 멜로디가 왠지 오늘의 아침과 날씨를 닮았
다는 생각을 하며 씨앗처럼 몸을 웅크린다.

　사실 어쩌면 아침은 핑계다. 아무것도 하기 싫은데
아무것도 하지 않을 핑곗거리가 없으니 애꿎은 아침을
망치고, 날씨를 실패시키는 고약한 버릇. 내게 늘 이유
없이 욕을 한 바가지로 먹어온 아침과 날씨들이 나에게
손가락질을 한다. 미안합니다. 미안합니다. 나는 오늘도
쉽게 미안한 사람이 된다.

　갑자기 문자 알람이 울린다. 행복한 하루 되세요, 라
며 웬 얼굴도 모르는 사람이 나의 행복을 빌어준다. 이런
빌어먹을 행복. 괜한 반항심이 든다. 애초에 너희가 그
런 걸 바라지 않았으면 나는 우울한 사람이 아닐 텐데.
나는 실패한 사람이, 별로인 사람이 아닐 텐데. 기분 전
환 같은 걸 할 필요도 없고, 아침이나 날씨를 탓할 필요
도 없을 텐데.

　오늘의 날씨는 실패다 실패다
　구름은 지겨웁다 실패다 별로다

그의 가사처럼 이럴까 저럴까, 무언가를 하려 하면 할수록 엉망이 되는 것 같아 아무것도 하지 않기로 한다. 다시 거실에 엎질러진다. 뿌리가 좀 더 깊어지는 느낌이 들기는 하지만, 불현듯 이대로도 좋다는 생각을 든다. 어느새 잦아드는 빗소리와 어둑해지는 거실. 여전히 쉽게 지치는 나는 오늘도 실패에 좀 더 익숙해진다. 그럴 수도 있지, 라고 생각한다. 그 순간 나의 뿌리는 온데간데없고, 그의 멜로디는 어딘가 살짝 올라간 것만 같다. 그럴 수도 있지. 실패할 수도 있지. 나는 에라, 모르겠다는 심정으로 최선을 다해 아무것도 안 하다가 까무룩 잠이 든다.

아, 다시 아침이다. 밖을 보니 또 비가 온다. 그럴 수도 있지. 나는 오늘 아침에도 아무렇지 않게 커튼을 걷고 화분에 물을 준다. 이러나저러나 그럴 수도 있는, 나름 좋은 아침이다. 나는 그제야 비로소 갑갑한 화분을 벗어나 내 두 다리로 하루를 보낸다.

솔티드카라멜

우엉

"

남들이 뭐라 해도 좋아요
우린 그딴 건 씨발 몰라
갑갑한 내 이불 속이 좋아요
니 옆에 누워있으니
"

얼스바운드 **신혼** 음악, 2016

캘린더에 빼곡히 쌓여 있는 일정들을 보면 절로 미간이 찌푸려진다. 모든 사람과 연락을 끊고 혼자 멀리 떠나버리고 싶다는 생각이야 매일 같이 하지만, 그러기엔 내 발목을 잡는 것들이 너무 많은 게 현실이다. 해야 할 것도 많고 하고 싶은 것도 많은데 어째 겹치는 건 하나도 없다. 해야 하지만 죽도록 하기 싫은 것들과 죽도록 하고 싶어도 그럴 여유조차 없는 삶. 결국 죽도록 살기 싫지만 어찌 됐든 살아야 하는 나. 언젠가부터 살기 싫다는 말을 입에 달고 살기 시작했다. 엄마는 내게 어른은 원래 다 그런 거라고 했다. 나는 그럼 어른 같은 거 안 할래, 했다가 등짝을 맞았다.

그래. 멀리 떠날 수는 없으니, 나는 우울해지면 K의 이불 속으로 간다. 우리는 어제 마신 솔티드카라멜라떼를 두고 솔티드카라멜은 소금 맛 가라멜인지, 아니면 카라멜 맛 소금인지 토론을 하기 시작한다. 어쨌든 결국 카라멜라떼니까 소금 맛 카라멜이 아닐까. K가 말한다. 하지만 딱히 소금 맛은 아니었어, 지독하게 달았다고. 단 걸 싫어하는 내가 말한다. 그래, 그게 뭐가 중요하겠어. 당장 맛있으면 된 거지. 단 걸 좋아하는 K가 말한다. 나는 그런 K의 사고방식이 부럽다는 생각을 한다.

꽃들이 시들어도 좋아요
우린 그런 건 몰라
함께 누울 시간이 꽤 많아요
소리 내어 크게 웃네

할 일을 미루고 누워있을 때의 초조함은 마치 마약과도 같다. 아, 안 되는데, 안 되는데, 하면서도 절대 하지 않고 끝까지 미루는 나쁜 습관. 나는 이불 속에 누워 K에게 투덜댄다. K에게 쓸데없는 걱정을 늘어놓는 것은 내 취미생활 중 하나다. 할 건 해야지. K가 단호하게 말한다. 하지만 지금은 이렇게 있고 싶은걸. 내가 더 단호하게 말한다. 그럼 네 마음대로 해. K가 내게 자유를 허락해준다. 나는 그의 무책임한 태도가 좋다. 응, 내 마음이야. 나는 마음대로 K의 이불 속을 파고든다. K의 목덜미와 팔 안쪽, 그리고 이불에서 같은 냄새가 난다.

남들이 뭐라 해도 좋아요
우린 그딴 건 씨발 몰라
갑갑한 내 이불 속이 좋아요

니 옆에 누워있으니

한없이 게으른 하루를 보낸다. K의 방엔 시계가 없어서 시간 가는 줄을 모른다. 나는 K의 집에서 자고 싶으면 자고 깨어 있을 땐 K를 본다. 이불 밖은 위험하니까 좀 더 이렇게 있자. 배고프면 떡볶이를 시켜 먹자. 창문을 꼭 닫고 우리가 좋아하는 락 음악을 튼다. 우리랑 이불뿐이던 방 안이 어느새 꽉 차는 느낌을 받는다. 끈적이며 늘어지는 기타 소리와 쇠를 씹어먹은 듯 허스키한 목소리. 이게 바로 솔티드카라멜이지 않을까. 우리는 킥킥대며 이불 속에서 춤을 춘다. 사실 그딴 건 씨발, 하나도 안 중요하다. 우리는 솔티드카라멜도 음악도 춤도 모르지만 여전히 잘만 논다.

그렇게 한창 놀고 있는데 눈치 없는 세탁기가 요란한 전자음과 함께 빨리 빨래를 널라며 아우성을 친다. 나는 일어나려는 K의 팔을 붙잡는다. 조금 있다 하자. K는 못 당한다는 표정을 지으며, 그래, 그러자, 해준다. 우리는 여전히 창문을 꼭 닫고 이불 속에서 조금만 더 엉켜있기로 한다 할 일이나 거정 같은 건 잊은 지 오래다. 그딴 건 씨발 모른다던 가사처럼 우리는 오늘을 산다. 하고 싶고 할 수도 있는 것, 그래서 살기 싫은 내가 유일하게 살고 싶어지는 이유. 이불 밖을 나가면 다시 나는 살기 싫어지겠지만, 지금 당장은 갑갑한 이불 속이 좋으니 조금만 더, 조금만 더, 조금만. 살고 싶은 욕심이 잡초처럼 자라나 함께 춤을 춘다.

함께 누워 자고 잠은 안 자고
계속 계속 자고
너와 내가 지은 집 안에서

사실 고진감래苦盡甘來보다는 감탄고토甘吞苦吐가 좋다. 어릴 때부터 줄곧 그랬다. 밥이 먹기 싫다면 밥 한 숟갈도 용납하지 않았다. 시위라도 하듯, 밥이 침에 절어 곤죽이 될 때까지 안 삼키고 버티다 보다 못한 엄마가 자, 하고 손을 내밀면 그 위에 웩 하고 뱉어냈다. 너는 어릴 때부터 하고 싶은 건 당장 해야 하고, 하기 싫은 건 죽어도 안 하려 했어. 그때 진즉 버릇을 고쳐놨어야 했는데. 엄마가 다 큰 나를 쏘아보며 말한다. 내 마음이야. 어른이 되기 싫은 나는 언젠가부터 앵무새처럼 같은 말만 반복한다.

나는 K와 이불의 냄새가 그리워 오늘도 할 일을 내팽개치고 발길을 돌린다.

귓가에 맴도는 멜로디 ─────────────

음악

사실 좋은 사람이 너무 많았는데

재은

택(TAEK) 어딜 가든 나쁜 사람들은 있잖아요 음악, 2017

두세 가지 떠오른다, 지금의 나를 만든 상처라든가 미운 과거가. 확실한 건, 그런 사건과 사람들 없이 지금의 내가 없었을 거라는 사실이다. 마음에 들지 않아도 결국 인정하거나 합리화하고 넘어온 시간이 있었다. 어쨌든 지금의 사랑하는 마음을 포기할 순 없으니까, 또 어떤 일이 생겼을지 전혀 알 수 없는 법이니까. 괜찮다, 아마도. 우리는 이번 선택이 분명 가장 나았을 거라고, 아니 선택이 아니었을지라도 지금보다 나은 길이 없었을 거라고, 더 나빴을 수도 있다고 스스로를 다독인다.

상처는 각자의 몫이다. 본인이 견딜 수 있는 능력에 따라 남들에겐 작은 상처가 세상에서 가장 무거운 일처럼 느껴질 수도 있고, 누군가의 큰 문제기 이떤 이에게는 대수롭지 않을 수도 있다. 다 밉게만 보여서 혼자 방에서 엉엉 울고 있을 때, 정말 슬픈 노래를 듣고 싶었다. 우는 내가 한심한데, 그래도 울 수밖에 없다는 사실만 고통스럽도록 가득해서 나보다 더 슬픈 노래, 나한테 주어진 순간보다 더 울적하고 괴로운 노래를 들어서 눈물이 쏙 들어가게 하고 싶었다. 남의 슬픔에 내 슬픔을 비교해 이 순간이 잊히게, 억울한 눈물이 다 녹아내리고, 공기 중에 흩어져서 잠들 수 있었으면 했다.

그런데 그런 노래가 없더라. 내가 견디기 힘든 만큼보다 큰 아픔은 없었다. 감정은 비교가 되질 않아서, 불행도 행복도 남의 것에는 빗대 볼 수가 없다. 우리는 타인의 행복을 깎아내릴 수 없고, 그들의 불행을 무시할 수도 없다. 그러니 내 감정을 우위에 둘 수도, 그렇다고 꾹꾹 눌러 숨길 필요도 없었다. 각자에겐 스스로의 삶이 가장 중요하고 무거우니까, 그 감정에 충실하면 된다는 걸 조금 나중에 알았다. 지금은 입버릇처럼 "다만 각자의 삶이 있는 거지." 하고 말한다. 다른 이의 기쁨과 슬픔을 가볍게 지나치는 우리가 되지 않길 바라면서.

행복보다 불행에 대한 이야길 하자면, 그 시간을 어떻게 지나왔는지는 우리의 오늘에 자국이 선명하다. 어제를 지나온 오늘의 내가 여기에 있다. 누군가 틀어놓은 노래가 방에 울리자마자 제목이 알고 싶어졌다. 낮게 깔리는 듯 공기 중에 붕 떠있는 그의 목소리가 한숨 쉬듯 내뱉는 말들이 좋았다. 조금 뻣뻣하고도 따뜻한 문장들을 붙잡고 싶었다. "좋은 일들만 그대를 성장시키지는 않을 거야. 힘들 거예요, 어딜 가든 나쁜 사람들은 있잖아요." 그 말에 바로 떠오르는 사람이 있었고, 또 나 자신이 떠올랐다. 상처 받은 마음을 되돌리고 싶을 때마다 오래도록 합리화를 위해 스스로 되뇌었던 말을 누군가의 목소리로 들으니 내가 버티던 시간들이 순서대로 찾아왔다. 똑같은 가사였대도 그의 목소리가, 그 말투가 아니었으면 그러지 않았을 거다. 그 무던한 위로가 아니었다면.

이후로 밤에 혼자 있는 시간이면 잠들기 위해 이 노래를 자주 들었다. 기계적이고 반복적인 위로가 필요할 때마다 아무 생각 없이 그의 말을 듣고만 있었다. 끝내 아물지는 못할, 이제는 나에게 별 영향을 끼치지 않는 지난 상처였다. 오히려 이 노래를 들을 때 나를 괴롭힌 당신이 떠올랐다. 나는 이따금 밤을 뒤척였고 그럴 때마다 확인해야 했다. 우리는 종종 나쁜 사람을 만나게 된다는 걸, 나를 사랑하지 않는 사람을 지나와야 한다는 걸. "미안해요. 현실적인 말로 너를 위로하고 싶진 않지만," 하는 그 사실이, 현실적인 말이 가장 큰 위안이 됐다. 우리가 꿈속을 살 수는 없으니까, 다칠 수 있다는 걸 인정하지 않으면 언제까지고 그 시간에 갇혀있어야 하니까, 조금 현실적으로 순진하기가 좋다고 생각했다.

여전히, 아무것도 바꾸고 싶지 않다. 내가 당신에게 미움 받지 않았더라면, 여전히 사랑받고 있다면 달라졌을 것들을 가끔 상상한다. 다만 그 상상의 외길 밖, 다른 부분은 전부 검다. 지금의 나, 내 곁의 당신들이 어디쯤 있을지 전혀 가늠할 수 없으니까. 나는 뭐래도 존재하지 않았을 내일로 갈 순 없다. 내가 당신 때문에 우는 동안 나를 기다리는 이들이 있다. 나보다 평생 일곱 살이 많게 살아갈, 어쩌면 어떤 미래 같은 사람이 그런 이야길 했다. 나쁜 사람을 너무 많이 만나서, 인연이 조심스럽다고. 안 좋은 일이 많았고, 인생 굴곡이 심했다고. 다만 그는 끝에는 사실 주변에 좋은 사람이 너무 많았는데, 아픈 인연에 갇혀 지내느라 깨닫질 못하고 있었다고 멋쩍게 웃으며 말했다.

우리는 늘 나쁜 사람을 만난다. 다만 그 우울에서 눈을 돌리면, 제 발로 들어간 그 진창 같은 우울에서 고개만 들어도 어깨를 감싸줄 사람들이 곁에 있다. 잃은 사랑을 새로 쏟을 수 있을 만큼의.

네가 눈물을 흘린다면 난 같이 울어줄 수 있어요.
너의 짐이 풀린다면, 내가 웃으면서 너와 대화할게요.
난 너만 있음 되는걸요.

바다에 빠져 죽지 않고
돌아오는 방법

홍성하

언니네 이발관 **가장 보통의 존재** 음악, 2008

죽으려고 했던 것은 아니지만, 어쨌든 무작정 바다에 간 적이 있다.

　아마 2008년의 늦가을 즈음이었던 것 같다. 그때 내 삶은 그 또래 대한민국 청소년이 가질 수 있는 평균 수준보다는 조금 더 낮은 만족도를 가지고 있었다. 내 불행의 상세한 묘사야 생략하겠지마는, 대충 이야기하자면 (전술한 바 있는) 첫사랑은 내게 잔인한 이별 선고를 했고, (그때는 몰랐던) 내 오래된 애정 결핍의 증상은 슬슬 친구들을 질리게 하는 중이었으며, (아마 그 증상의 주된 원인일) 부모님은 이혼을 준비하는 상황이었기 때문이다. 그때 내 나이가 열여덟. 새끼손가락에 박힌 가시만으로도 세상 모든 통증을 혼자 가진 양 유난을 떨어도 좋을 권리가 주어지는 나이였고, 슬픔에 초연해지기에는 명백히 너무 어린 나이였으나, 불행하게도 이제 자신이 다 컸다고 믿을 만큼 오만한 나이이기도 했다. 하필 그때의 나는 책 몇 권 더 읽었다고 제가 또래보다 퍽 조숙한 줄 알던 녀석이어서 더 그랬다. 열여덟의 나는 슬픔을 견디지 못하는 것을 미성숙의 증거로 생각했고, 그리하여 덜 자란 자신을 절찬리에 미워하는 중이었다. 그 나이대가 떳떳하게 엄살을 부릴 수 있는 마지막 시기였다는 것을 모른 채.

아무튼 그 열여덟의 어느 하루에 있었던 일이다. 돌연 바다에 가야겠다는 생각이 들어 저녁 식사도 거르고 학교를 빠져나왔다. 나는 아침 일곱 시부터 열한 시까지 시간표가 짜여있는 사립학교의 기숙사생이었고, 그날이 대충 수요일 정도였으니 나름대로 용기가 필요한 일이었다. 지갑과 휴대전화, 엠피쓰리를 대충 교복 주머니에 욱여넣고 터미널로 향하는 버스를 잡았다. 정류장에서 마주친, 조퇴를 하던 친구에게 바다에 간다고 했더니 자기가 두르고 있던 무릎담요를 빌려주었다. 나는 씩 웃고 그것을 어깨에 걸쳤다. 그게 흰 토끼가 그려진 분홍 담요만 아니었다면, 나름대로 망토 느낌이 났을 것이다.

고속버스 터미널까지는 삼십 분 정도가 걸렸다. 나는 매표소 창구 앞으로 곧장 다가가, 오십 대쯤 되어 보이는 직원 아주머니에게 대뜸 말했다(사실은 꽤 이전부터 한번 해보고 싶은 말이었다). "아무 데나 제일 가까운 바다로 가는 버스표 하나 주세요." 아주머니는 잠깐 인상을 찌푸렸다가 강릉행 티켓 한 장을 건네주었고, 나는 텅 빈 대합실에서 한참을 기다리다 버스를 탔다.

여덟 시쯤 되었던 것 같다. 버스는 장거리 여행자들을 위해 실내등을 끈 채로 달렸다. 사방이 어두웠으므로 나도 잠을 청하는 수밖에 없었으나, 땀이 날 정도로 히터의 열풍이 강했다. 재킷에 셔츠까지 벗고 반팔 차림이 되어도 더워, 병든 닭처럼 간신히 졸다 깨기를 반복하는 게 최선이었다. 다행히 내가 뒤척이는 동안에도 부지런히 바퀴는 구른 모양이었다. 자정 직전에 버스는 강릉에 도착했다.

자정의 터미널은 황량했다. 그 앞도 마찬가지였다. 문을 연 가게 하나 없는 캄캄한 거리에서 나는 한동안 막막한 기분을 느끼다가, 간신히 지나가는 택시 한 대를 붙잡았다. 나는 낯선 기사 아저씨에게 아까 했던 것과 같은 주문을 했다. "제일 가까운 바다로 가주세요." 택시 기사는 군말 없이 십오 분 정도를 달려 어느 해수욕장 앞에 나를 내려주었다.

놀라울 만큼 순탄하게, 나는 바다에 도착했다. 교복을 입고 늦가을 밤에 아무 데나 제일 가까운 바다를 찾는 소년에게 세상이 좀 너무하다 싶을 만큼 무관심하다는 생각을, 했었던가? 하지 않았을지도 모르겠다.

그 짧은 여행 내내 엠피쓰리에서는 언니네 이발관의 〈가장 보통의 존재〉가 반복 재생되고 있었다.

나는 외로움에 대해 생각하고 있었다. 보통의 존재, 그것도 가장 보통의 존재, 터무니없이 평범하고 흔하고 보잘것없는 존재. 그리하여 누구에게도 관심을 받지 못하는 존재에 대해.

그게 어쩌면 나일지도 모른다는 생각도 했다.

밤의 동해바다는 정말이지 빌어먹게도 추웠다. 게다가 어두웠다. 해변을 면하고 있는 횟집들도 문을 닫은 시각이라, 파도 구경은커녕 백사장을 걷는 일조차 어려웠다. 하지만 걸음을 멈추자 얼마 지나지 않아 바닷바람에 손이 곱기 시작했다.

갑자기 바다에 온 게 후회되었다. 그러나 어찌하랴, 택시는 물론 인적도 드문 시각이었는데. 멀리 모텔 간판이 보이긴 했지만 겁쟁이에 모범생인 내게는 선택지가 되지 못했다. 교복 차림으로 발을 들였다가 괜히 일이 커질 것 같았기 때문이다. 어쩌지, 어떡하지. 망설이는 사이 어둠은 짙어졌고 추위도 그랬다.

결국 나는 절박한 마음으로 횟집들이 설치해놓은 야외 매장의 문을 흔들며 돌아다니기 시작했다. 운 좋게도 잠기지 않은 곳 하나를 금방 발견할 수 있었다. 그래 봐야 여름철 평상 주변에 비닐과 방수천으로 집 모양이나 잡아놓은 정도라 바람만 겨우 피하는 수준이었으니 가을밤의 냉기를 막기에는 턱없이 모자란 장소였다. 하지만 더 나은 방법이 없었다. 궁여지책으로 매장 안의 휴대용 가스버너를 켜고 방석 몇 개를 겹쳐놓은 뒤 누웠다. 버석거리는 방석에 몸이 닿자 오히려 더 추워졌지만, 이상하게 노곤해서 그냥 한참을 누워있었다. 이대로 그냥 자미릴까, 생각했나.

그동안에도 이어폰은 끊임없이 귓바퀴 안으로 언니네 이발관의 노래를 흘려 넣고 있었다. 그런데 추위 속에서 벌벌 떨며 그 노랫말을 듣고 있노라니, 무언가 점점 다르게 들리는 것이었다.

이 노래의 첫 소절에서, 노래 부르는 이는 '내가 온별에선 연락이 온 지 너무 오래되었다'고 말한다. 그는 이성인(異星人)―다시 말하면 이방인으로서의 아이덴티티를 가지고 외로움에 대해 이야기하고 있는 셈이다. 그런데, 보통의 존재라니? 그것도 가장 보통의 존재라니?

결국 잠들지 못했다. 오들거리며 어떻게든 버티는 동안 하늘이 밝아오기 시작했다. 나는 해돋이 구경을 나온 주민들에게 들키기 전에 야외 매장을 빠져나왔고, 편의점에 들러 컵라면을 한 그릇 먹었다. 백사장을 걷다가 해가 뜨는 걸 구경했고, 조개 몇 개를 주웠다. 그 다음에는 생소한 교복을 입은 학생들 사이에 끼어 마을버스를 타고 터미널로 돌아갔다 마침 몇 분 뒤 출발하는 표가 있었다. 학교에 다시 도착한 시각은 점심시간을 막 지난 때였는데, 내가 결석했다는 사실을 뒤늦게 눈치챈 담임 선생님이 벌써 교문 앞에 나와 있었다. 무슨 생각이야? 어딜 다녀온 거야? 선생님이 굳은 표정으로 물었다. 아,

나는 차마 대답을 참을 수가 없었다.

"바다에 갔었어요. 죽고 싶어서요."

그래, 맨 처음에 적었던 말은 거짓말이다. 실은 죽으러 바다에 갔었다.

아니, 그때는 몰랐지만 바다에 가야겠다는 그 갑작스러운 충동을 나중에 돌아보니 그랬다. 아무도 내 슬픔에 관심이 없고 나조차 내 슬픔이 부끄러우니 차라리 사라져버리자, 그때 나는 그런 심정이었다. 죽으면 내가 얼마나 슬펐는지 누가 좀 알아줄까, 그런 생각도 했던 것 같다. (유치한 투정인 걸 알지만, 열여덟 살이었으니 좀 봐주시길.) 그러나 보시다시피, 나는 죽지 않았다. 새벽녘 추위 속에서 불현듯 깨닫게 되었던 까닭이다. 내가 보통의 존재라는 사실을.

내가 당신에게 이방인이라는 이야기는 사실, 당신 역시 내게 이방인이라는 뜻이겠다. 우리는 서로가 낯설다. 아무리 가까이 있어도 타인일 수밖에 없는 사람과 사람들. 그렇다면 차라리 그게 보통이다. 어쩌면 모두가 외롭고 그게 정상이다.

그러니까, 내가 특별하지 않아서—보통의 존재라서 쓸쓸한 것이 아니라, 그 정도의 쓸쓸함을 가지는 누구나가 보통의 존재인 것이라는 생각을 나는 했던 것이다. 굳이 바닷물에 몸을 던지지 않아도 얼어 죽을 것만 같던 그 밤에. 아무도 내게 행선지를 묻지 않고 연락을 보내지 않던 그 밤에.

내 대답을 들은 선생님의 표정이 흔들렸다. 그는 나를 당겨 세게 안더니, 이제 그런 생각 하지 말라며 등을 두드려주었다. 나는 네, 안 죽었잖아요, 하고 웃음소리를 냈다. 몸을 뗀 뒤 선생님은 아무렇지 않은 표정으로, 들어가서 수업 들어라, 한마디를 남기곤 교무실로 돌아갔다. 나는 그 말씀대로 교실로 향했다. 바다에 갔었다며? 묻는 친구들에게는 씩 웃으며 재킷 주머니에 넣어두었던 조개껍데기를 꺼내 나눠주었다.

그 전날과 그날 사이에 변한 것이라곤 아무것도 없었다. (심지어 담임 선생님이 정상적으로 출석처리도 해줬다.) 단지 죽음으로는 슬픔을 증명할 수 없고 적어도 내 외로움만은 그렇게 외로운 감정이 아니라고 생각하게 된 게 고작이었다. 그러나 어쨌든,

나는 그렇게 바다에서 돌아왔다.

거기 누구 있나요

탈해

도재명 토성의 영향 아래 음악, 2017

환기를 잘 하지 않으면 감기에 걸리기 쉽다. 드러내지 못한 감정이 쌓이면 무기력에 걸린다. 공교롭게도 무기력해지는 날은 꼭 흐리다. 그때의 하늘은, 기형도의 표현처럼 '두꺼운 공중의 종잇장' 정도로만 느껴진다. 두터운 구름이 빈틈없이 들어찬 하늘은 끝이 정해진 무대 같다.

우리가 그린 건 폐곡선이 아니었다
그해 여름, 하수구로 흘러 들어간 어떤 외로움
오늘 아침 그것으로 몸을 닦았다

무기력은 영악하다. 그것은 아무런 형태도, 무게도, 냄새도, 촉감도 지니지 않으면서 나를 부드럽게 짓누른다. 그렇게 내가 아무것도 못하도록 만들면서, 꼭 아무것도 안 하는 것처럼 느껴지게 한다. 선택의 댓가는 나에게 돌아온다. 정신을 차리고 보면 어느새 가슴께에서 찰랑이는 결과물은 조용히 나를 제외하고 모두 쓸어버린다.

나는 가라앉지도, 익사하지도 않는다. 그저 폐허 위에 남아서 다시 살아간다.

닫힌 세계에서 모든 것은 납작한 예상 속에 단조롭게 흘러간다. 모노톤을 살아가는 일은 단지 얼마나 덜 어두운가의 문제일 뿐이다. 춥고, 답답하고, 모든 것들이 너무 멀리 있는 우주 공간을 떠도는 기분. 겉으로 보기엔 멀쩡하지만, 마음엔 파편만이 가득한 기분. 토성의 고리는 어쩌면 무기력의 밧줄인지도 모른다.

'나는 토성의 영향 아래 태어났다. 가장 느리게 공전하는 별, 우회와 지연의 행성……'

수잔 손택이 기술한 발터 벤야민은 스스로 토성의 기질을 지녔노라 고백한다. 멀리서 보면 아름다운 고리가 돋보이지만, 실은 그 모든 것들이 차가운 얼음 알갱이로 이루어져 있다. 도재명의 〈Sonate De Saturne〉는 그런 토성의 천천한 공전을 닮은 연주곡이다. 흐린 오후, 공기인지 물인지 무기력인지 모를 것들에 붕 떠서는 천천히 실려가는 이 밀도 낮은 행성. 피아노의 음색에서 느껴지는 짙은 평온함은, 역설적으로 우울 속에 침잠하는 고요한 침묵에도 맞닿아 있다.

이어지는 곡인 〈토성의 영향 아래〉에서 양가적인 평온함은 천천히 고독과 우울로 오롯이 미끄러져 들어간다. 단조롭고 규칙적인 코드와 템포, 모노톤의 세계 속에서 느릿하지만 격렬하게 부재를 토해내는 몸짓. 〈토성의 영향 아래〉의 뮤직비디오는 노출 심리치료처럼 나를 온갖 외로움과 우울과 무기력과 슬픔 속으로 처박는다.

> *거기 누구 있나요*
> *내 목소리가 들리나요*
> *알레고리의 숲 꿈의 미로*
> *우린 어디에 있나요*

〈토성의 영향 아래〉의 후렴구가 오로지 물음으로만 이루어져 있다는 점은 의미심장하다. "거기 누구 있나요"는 닫힌 무대 너머로 끊임없이 말을 건다. "우린 어디에 있나요"는 흐르는 무기력에 스러지는 삶 가운데서도 한 조각 위치를 찾으려는 몸부림이다. 토성의 고리는 실은 서로 끊임없이 충돌하며 깨어지는 입자들로 이루어져 있다고 한다. 어쩌면 그 입자들마다 지금도 끊임없이 묻고 있지 않을까. "거기 누구 있나요? 우린 어디에 있나요?"

가사가 끝난 〈토성의 영향 아래〉는 일렉 기타 소리와 함께 본격적인 침몰을 겪는다. 한층 더 격렬한 몸짓, 거친 파도, 흔들리는 화면, 빠른 장면 전환, 날아가는 새들은 몰락의 통증을 내뱉는 신음이다. 끝없이 충돌하는 토성의 고리처럼, 느린 공전의 우회와 지연 가운데, 무언가가 어디서든 외치고 있을 것이다.

그리고 여기, 끊임없이 묻는 물음을 듣는 내가 있다. 내가 여기에 있고, 똑같은 나의 외침 역시 노래처럼 어디론가 가닿을 것이다. 어떤 허물어짐 속에서도 나는 되풀이해서 물을 것이고, 묻는 만큼 나는 집요하게 살아남아갈 것이다. 여기, 토성의 영향 아래.

———

함께 추천하는 다른 작품들

이소라 **쓸쓸, Track 9** 음악
이랑 **세상 모든 사람들이 나를 미워하기 시작했다** 음악
자우림 **청춘예찬** 음악
김거지 **독백** 음악
생각의 여름 **습기** 음악
헤드윅 OST **Midnight Radio** 음악
패닉 **내 낡은 서랍 속의 바다** 음악
에픽하이 **행복합니다** 음악

슬프지만
아름다운 안

신지별

심규선 **안** 음악, 2018

우여곡절 끝에 첫 책을 냈다. 글을 쓰고 다듬으면서 너무 많이 울었던 탓인지 정작 내 손에 책이 들어오던 날에는 눈물도 나지 않았다. 그냥 기분이 이상했다. 인생의 목표를 이뤘다는 생각은 들었지만 책이 나왔다는 감흥에 젖을 시간도 부족했다. 출판사 측에서는 차기작 계약을 권했다. 쉬지 않고 달렸던 지난 2년을 생각하면 재충전의 시간이 필요할 것 같았지만 나는 계약서에 바로 사인을 했다. 이번 작업이 끝나면 정말로 오랫동안 쉬자고 나는 스스로를 토닥였다. 기약 없는 격려였다.

뭘 믿고 휴학 신청은 하지도 않았는지, 대학교의 마지막 학년과 집필을 병행하는 상황이 됐다. 하필 전체 학점이 모자라서 교양을 몇 개 끼워 넣었더니 쉴 틈 없이 과제와 시험이 몰아쳤다. 그래도 중간고사 전후까지는 비교적 멀쩡한 상태였지만, 햇살이 점점 뜨거워질 무렵 나는 내 안에 이상이 생겼음을 알아차렸다. 감정 기복이 심해져 정상적인 대인관계를 이어갈 수 없었다. 아무것도 쓸 수 없는 날은 늘어만 가는데 계약서에 적었던 날짜는 계속 다가왔다. 글을 쓰기는커녕 일상적인 대화를 하다가도 갑자기 적절한 단어로 문장을 이을 수가 없어 급하게 입을 닫아버리는 날이 잦았다. 내가 쏟아낼 수 있는 단어가 동난 느낌이었다. 내 안이 완전히 비어버렸거나, 아니면 내가 밖으로 말을 내보낼 수 없게 무언가가 막고 있었다. 하지만 어느 쪽인지 알 수 없었다. 한번 막힌 말문은 쉽게 트이지 않아서 나는 조급해졌다. 가끔 괜찮은지 안부를 묻는 사람들이 있었고, 나는 괜찮지 않았지만 그렇게 답했다가는 왜 안 괜찮은지에 대한 온갖 사연들을 설명해야 할 것 같아 그냥 괜찮다고 모호하게 말해버렸다. 그러면 사람들은 더 묻지 않았다. 그저 힘내라는 말 한마디를 얹어줄 뿐이었다. 그 위로에는 무게가 실려 있지 않아서 내게 딱히 도움이 되지도, 그렇다고 상처를 주지도 않았다.

그렇게 심적으로 낭떠러지에 몰렸던 시기에 심규선의 신보를 접했다. 한동안은 너무 여유가 없어서 음악도 거의 듣지 못했다. 하지만 오래도록 좋아해온 뮤지션이었기에 이름만 믿고 공연을 예매했다. 공연을 보러 서울에 올라가는 당일 아침에야 신보를 처음으로 자세히 들었다. 원고의 진행은 여전히 더디고 학교 종강까지는 아직 몇 주가 더 남았던, 한마디로 절망적이었던 나는 공연 관람을 핑계로 나의 동네에서, 나의 일에서 도망가는 중이었다. 버스에 올라타 자리를 찾자마자 등받이에 몸을 기대고 앨범을 재생했다. 울려고 한 것도 아니었는데 갑자기 울음이 터졌다. 당황스러울 정도로 많은 눈물이 흘렀다. 내 안을 막고 있던 무언가가 사라지는 기분이었다. 나는 애써 울음소리를 참았다. '이 노래 작정하고 만들었구나.' 공연을 예매해서 다행이라는 생각을 하며 서울로 올라갔다.

그녀는 공연에서 관객들에게 눈으로, 손짓으로, 노래로 말을 걸었다. 분명 불특정 다수를 향한 행동일 텐데 유독 그녀가 하면 주변에 있는 타인의 존재는 잊게 되고, 오직 그녀와 나만이 이 공간에 남겨진 것 같은 느낌이 들었다. 아마 다른 사람들도 그렇게 느낄 거다. '어, 눈이 마주친 것 같은데? 이런 생각이 들면 제가 당신을 본 게 맞아요.' 그녀는 관객들에게 그렇게 말했다. 나는 공연 중 그녀와 눈이 몇 번 마주쳤다. 우연일지는 모르겠지만 내가 울 수 있었던 노래인 〈안〉을 부를 때 제일 눈을 많이 마주친 것 같다는 생각이 들었다. 그녀는 내가 깨끗한 눈물을 흘릴 수 있도록 해주었다. 비가 그친 뒤에 부는 바람처럼 청명한 울음이었다. 뒤끝이 남지 않는. 자존심, 악, 시기, 분노 등의 부정적인 감정으로 가득 차 더는 무언가를 채울 공간이 남지 않았던 나의 안을 두드리며 그녀는 노래로 내게 도달했다. 우리는 그 순간 공명하고 있었고 그 느낌은 내게 큰 위안을 줬다.

마법이 풀리듯 그녀의 속삭임이 멀어져갔고, 꿈에 취한 듯 흐릿했던 초점이 돌아왔을 때는 무대의 막이 내린

뒤엿다. 나는 자연스럽게 내가 있어야 할 자리로 돌아갔다. 다만 그녀와의 공명 이후 어렴풋이 알 수 있었다. 내안이 비어있던 게 아니었다. 나는 꾸준히 채워지고 있었다. 다만 말이 아닌 눈물로. 그렇게 눈물이 내 안에 가득 고여 있어서 말이 쌓일 틈이 없었던 거다. 나는 그 후로도 〈안〉을 들으며 자주 울었다. 내가 폐허인 채로 한여름의 뙤약볕 밑에 놓여 있을 때에, 가슴이 답답하고 말이 닫히면 애써 단어를 조합하려 애쓰지 않고 노래를 들었다. 울고 나면 뭐든 써졌다. 숨이 트이는 듯했다. 시간은 흐르지 않는 것 같으면서도 조금씩 흘러갔고 밤바람은 시원해졌다. 나는 이제 〈안〉을 들어도 울지 않게 됐으나 자주 울던 여름이 떠오르곤 한다. 참 힘들었지만 이제는 괜찮아졌어. 그날 이후 다시 차곡차곡 쌓이기 시작한 말은 어느덧 내 안의 밑바닥을 완전히 덮었다. 이번에는 눈물이 아니라 나의 언어로, 따뜻한 것들로 안을 채우고 싶다는 생각을 했다.

나약하여
비겁한

―――

홍성하

―――

피터팬 프로젝트 Old Street 음악, 2018

어미 토끼는 포식자에게 굴을 들키면 제 자식들을 물어 죽인다는 이야기를 들은 적이 있다. 비둘기나 구관조 같이 싸움에 익숙하지 않은 새들이 새장 안에서 다투기 시작하면 어느 한쪽이 죽어야 결판이 난다는 이야기도 들은 바 있다. 사실이든 아니든 퍽 그럴싸한 이야기라고 생각한다. 약한 것들은 때로 그렇게 비겁하고 잔인하니까. 그렇게 하지 않으면 스스로를 지킬 수 없을 만큼 약한 까닭으로. 그리고 내게는 이 이야기에 근거한 개인적인 믿음 하나가 있다. 약한 이들이 대개 비겁하거나 잔인하다면, 비겁하고 잔인한 행동의 이면에도 어쩔 수 없는 연약함이 있을지 모른다는 것.

명제가 참이라 해도 명제의 역까지 참인지는 알 수 없다는 것을 우리는 중학교 때 배우고, 내게도 중학교 졸업장은 있다. 그럼에도 불구하고 나는 감히, 저 믿음이 거짓이 아니라고 생각한다. 못 배워먹은 놈이라고 생각해도 좋다. 하지만 내가 믿는 것에 대해 당신도 조금 속아준다면, 내가 몰래 삼켜놓았던 변명들을 좀 하겠다.

언젠가 나를 사랑한 여인이 있었다. 이제 와 놀아보면 사랑이 아니라 동정이나, 동경이나, 아니면 왜곡된 자기애였을지도 모르겠다. 나와 닮은 데가 있는 사람이었고, 내 아픔 중 제 것과 닮은 점만을 가엾게 여겼던 사람이었으니까. 아무튼 그녀의 구애는 꽤 적극적이어서, 결국 나는 그녀와 사귀게 되었다. 사실 그녀의 구애와 우리의 교제 사이에는 수차례에 걸친 거절이 있었다. 나는 그녀에게 나를 사랑하지 말라고 했고, 나를 사랑해선 안 될 이유들을 가르쳐주었다. 나도 당신이 좋지만 바로 그러한 까닭으로 당신을 내 곁에 두지 않겠다고 했다. 그런데도 그녀는 나를 만나겠다고 했다. 그래서 교제를 시작했다.

연애 기간 내내 우리는 다퉜고, 100일을 겨우 넘긴 뒤에 헤어졌다. 이미 그 전에 각자 두 차례의 이별 선고를 한 시점이었다. 번복되었던 세 번의 이별과 달리 마지막 이별은 끝내 성사되었다. 그것도 문자 메시지로. 자못 처참한 연애였으나 이상하게도 내 기분은 괜찮았다. 그녀가 만나자고 했으니 헤어짐도 다 그녀 책임이라고 생각했기 때문이다. 솔직히 말해, 나는 처음으로 울지 않고 이별을 치러낼 수 있었다.

물론 돌아보면 부끄럽다. 아예 멀어지지 않을 만큼만 밀어내었던 내 거절의 비겁함이, 눈물 한 방울의 책임도 지지 않았던 내 이별의 잔인함이.

변명하자면 내가 너무 약해서 그랬다. 개인에게 있어 자기 사신의 역사를 돌아보는 일은 미래를 일러주기보다 미래를 학습시키는 일에 가깝다. 실패만을 겪어온 사람은 실패하는 방법만을 배우고, 상처가 많은 이들은 지레 겁내는 습관만을 익힌다. 적어도 나는 그렇게, 약한 까닭으로 더욱 더 약해졌다. 그리고 약자에게는 스스로를 지키는 것이 최우선의 과업이지 않은가. 비겁하거나 잔인한 방식으로라도.

난 네가 원하는 대로, 또 네가 바라는 대로 머물러 있질 않아. 그러니, 날 사랑하지 말아요. 날 좋아해선 안 돼요. 그게 내 진심이에요. 그래도, 그대가 날 원한다면, 날 사랑하고 있다면 오늘만 사랑해도 될까요? 그러니, 날 사랑하지 말아요. 날 좋아해서도 안 돼요. 날 사랑하지 말아요.

이 구애 아닌 구애의 노래에서 나는 어떤 연약한 이의 역사를 읽는다. 이를테면 오로지 상실만을 겪어온 사람. 그는 누군가 그 곁을 떠날 때마다 자신이 그를 실망시켰노라고, 이별의 책임이 모두 상대가 원하는 모습으로 있어주지 못한 자신에게 있노라고 믿는다. 그리하여 그는 다가오는 이 모두를 밀어낸다. 관계를 책임질 자신이 없기 때문에. 그러나 그에게도 외로움이 있고 사랑을 갈구하는 마음이 있다. 하여 그는 묘안을 하나 구하는데,

그것은 '그대가 날 원한다면', 그 단서를 붙임으로써 상대에게 모든 책임을 전가한 뒤에야 맺는 딱 하루짜리 사랑의 약속이다. 물론 그는 그 약속의 가벼움이, 반드시 실망으로 이어질 상대의 기대를 키우지 않기 위한 어떤 배려라고 믿는다. 그러나 한편으로는, 역시 너무 비겁한 태도라고도 생각한다. 그리하여 다시 그는 말한다. 날 사랑하지 말아요, 날 사랑해선 안 돼요.

전지한의 떨리는 목소리를 빌어 전달되는, 이토록 지질한 구애. 그것은 언젠가 내가 했던 거절들과 크게 다르지 않다. 당신은 이렇게 나약한 나를 용서할까.

지난겨울, 나는 편지를 부치는 심정으로 이 노래를 반복해 들었다. 내 목소리보다는 더 많은 곳에 닿고 더 오래 남아있을 이 노래가, 내가 밀어냈거나 밀어내기 전에 내게 질려버렸던 사람들에게 차마 하지 못했던(그리고 아마 앞으로도 하지 못할) 변명이 되어주길 바랐다.

물론, 어쩌면 그 바람조차 비겁한 것일지 모른다. 그래도 이 노래를 듣는 동안 내 기분은 조금 홀가분해졌다. 내 변명이 끝내 전해지지 않더라도, 뭐, 적어도 사과의 쪽지를 전해줄 친구 하나는 생긴 셈이었으니까.

나의 봄에는
당신의 노래가 있을 거예요

신지별

에피톤 프로젝트 **선인장** 음악, 2010

내 청소년 시절을 한마디로 기록하자면 비주류였다. 오래도록 따돌림을 당했고, 따돌림이 수그러든 뒤에도 섣불리 예전의 활발한 성격으로 돌아갈 수는 없었다. 한창 타인과 관계를 맺는 횟수가 증가해야 할 시기에 주눅이 든 채로 계속 살다 보니 사람과 말을 나누는 게 어려워졌다. 친구라고 말할 사람은 거의 없었고, 사춘기 여학생이 부모님과 말이 잘 통할 리도 없었다. 기댈 곳이 없었다. 나는 계속 혼자였다. 처음에는 내가 외톨이라는 사실이 억울했지만 오랫동안 혼자 있다 보니 점점 홀로 보내는 시간에 익숙해져갔다. 학교에 있는 시간을 제외하면 방문을 닫고 내 방에서만 지냈다. 외출은 거의 하지 않았다.

사람을 대하는 건 어려웠지만 다정한 말을 건네며 나를 위로해주는 누군가가 있었으면 좋겠다는 생각은 들었다. 그럴 때 만난 노래가 에피톤 프로젝트의 〈선인장〉이었다. 내가 흘렸던 눈물을 안고 봄에 서 있겠다는 그의 노랫말을 듣고 있자면, 나를 제외한 모두가 오고 있어서 싫어했던 계절인 봄도 조금씩 좋아졌다.

　길게만 느껴졌던 학교생활도 끝은 났다. 하지만 순탄한 끝은 아니었다. 수능이 끝난 밤에 나는 자살을 하고 싶었다. 과도하게 긴장을 했던 탓일까, 내게 가장 중요한 과목이었던 국어 과목에서 막판에 마킹 실수를 했다. 1교시부터 이미 이번 시험은 망했다는 확신이 드니 다음 교시 시험을 제대로 칠 리 없었다. 시간이 어떻게 지나갔는지도 기억이 안 나는 채로 수능은 허무하게 끝이 났다. 딱히 열심히 공부한 건 아니었지만, 그건 적어도 대학은 갈 수 있을 거라는 확신이 있었기 때문에 가능한 여유였다. 하지만 나의 여유는 수능 당일을 기점으로 박살났다. 재수를 할까도 생각했지만 나는 나를 너무 잘 알았다. 재수를 해봤자 상황은 나아지지 않을 거라는 걸 어렴풋이 알고 있었다. 대학 못 가면 어떡하지. 차라리 자살할까. 그날 밤에는 극단적인 생각도 들었다. 그런데 그때 문득 내가 약 한 달 뒤에 있을 그의 공연을 예매해뒀다는 게 떠올랐다. 그래, 공연을 다녀와서도 계속 죽고 싶으면 그때 죽자. 지금은 죽지 말고. 그렇게 나 자신을 애써 달랬고 시간은 흘러 공연 당일이 됐다. 그는 공연에서 〈선인장〉을 불렀다. 나는 전주가 나오자마자 울컥했고, 그날 그의 목소리를 들으며 정말 많이 울었다. 모든 소절이 나를 달래주는 것 같았다. 공연이 끝난 뒤 집으로 돌아가는 길의 나는 그가 건네준 따뜻한 기운으로 충만한 상태였다. 나는 스스로에게 다시 물어봤다. 지금도 죽고 싶어? 바로 대답이 들려왔다. 아니. 살고 싶어. 나는 무사히 열아홉 살을 넘기고 어른이 될 수 있었다. 수능 후로도 인생은 계속 이어졌고, 정작 나는 무사히 대학에 갔다. 친구도 사귀고 꿈도 찾았다. 그때 죽지 않아서 다행이라는 생각을 가끔 했다.

이제는 처음 그의 노래를 만났을 때보다 나이를 먹었다. 하지만 여전히 나의 내면은 예전처럼 약하고 예민해서 아무것도 할 수 없을 정도로 마음이 망가지는 시기가 자주 온다. 그럴 때 바로 대처할 수 있도록 나는 늘 비상약처럼 익숙한 그의 노래를 챙겨둔다. 내가 감정의 밑바닥까지 끊임없이 가라앉는 느낌이 들 때, 위로에 목마를 때, 실체 없는 불안에 잠이 오지 않을 때 〈선인장〉을 재생한다. 몇 년이 지나도 내 곁에 남아준 노래는 만난 지 얼마 되지 않아 믿음이 덜 쌓인 웬만한 사람들보다 믿을 만하고, 효과도 빠르기에.

마음을 지키는 분장들 ————

— 다자이 오사무 **인간실격**

— 신철규 **지구만큼 슬펐다고 한다**

— 라이너 마리아 릴케 **젊은 시인에게 보내는 편지**

— 미야자와 겐지 **비에도 지지 않고**

— 양귀자 **모순**

— 정현주, 윤대현 **픽스 유**

적어도 둘이라는 것

—
홍성하

—
다자이 오사무 **인간실격** 책,1948

날 이해한다고 했다. 자기도 얼마간 그렇고, 남들도 다 그렇다고 했다. 그러니까 나쁜 생각은 좀 그만하라고, 했다. 어쩌다 하소연을 좀 하면 다들 그렇게 말했다. 내가 뭐라고 답할 수 있었겠는가?

고개를 끄덕일 수밖에. 우울이라는 감정이 누구나 가지고 있는 것이고 그것을 벗어나는 일이 다만 마음가짐이나 사고방식의 문제라면, 내 우울은 단지 내 선택 혹은 능력 부족의 결과일 테니까. 글쎄, 혹시 내가 조금 더 단단한 인간이었다면 "아니, 우리는 달라. 모르겠어? 그 나쁜 생각을 멈추지 못하는 것이 너와 나의 차이점이란 말이야." 정도의 반론은 펼 수 있었을지도 모르겠다. 그러나 그때의 나는 고작 그만큼의 자기긍정도 불가능한 인간이었으므로, 타인들이 내 감정에 대해 내리는 평가를 거의 무조건적으로 수용했다. 그러니까, 내 잠을 내쫓고 손톱을 물어뜯게 하는 그 모든 감정들이 '별거 아닌 것'이고, 눈 밑의 그늘이나 지나치게 짧은 손톱이 '전부 내 탓'

이라는 이야기를, 나 역시 믿었다는 얘기다.

　그게 내가 자신의 슬픔조차 부끄러워하는 인간이 된 까닭이다.

　그러한 마음으로 사춘기를 통과해 지금까지의 몇 해를 끈질기게 살았다. 살았다는 표현도 어쩌면 좀 우습다. 이름 석 자와 나이, 주소를 제외하면 자기소개서에 분명하게 적을 수 있는 것이라곤 기형의 마음을 가진 외톨이로서의 자의식 하나가 전부인 시간들이었으니.

　그래, 분명한 건 오직 그것뿐이었다. 가진 생각과 감정들 태반은 모호했고, 말로 뱉으면 더욱 흐리멍덩해졌으나, 내가 비정상이라는 사실은 너무 많은 슬픔을 읽는 나의 버릇으로 간단하고 확실하게 증명되었기 때문이다. 세상의 사람들은 거짓말을 하고도 굳이 자책하지 않았고, 좌절을 겪고도 그것이 대수롭지 않다고 믿을 줄 알았으며, 서로를 미워하면서도 바로 그 서로를 위하여 분노를 감추는가 하면, 한번 품었던 마음을 바꾸거나 꺾는 일을 별로 어려워하지 않았다. 그리고 그들 사이에 내가 있었다. 그런 것들에 좀체 숙달되지 못하는, 반편이인 내가. 그리하여 누군가와 함께하는 대부분의 시간 동안 나는 너무 많이 슬펐는데, 그 슬픔들에 대해 나와 함께했던 타인들이 뭐라고 했는지는 이미 위에 적었으니 더 말할 필요 없을 것이다. 나는 비정상이었고, 그것을 너무나도 명확하게 인지하고 있었다.

슬프지 않은 사람들. 슬픔을 다루거나 싸워 이기거나 무시해버릴 줄 아는 사람들. 내가 그들을 차라리 미워할 수라도 있었다면 좋았겠지. 그러나 나는 그들을 동경하고, 시기했고, 아, 물론 어느 한편으로는 끔찍하게 경멸했으나, 그럼에도 불구하고 어쩔 수 없이 사랑했다. 해서 나도 멀쩡한 얼굴을 하고 '정상인'들과 어울리려 애썼다. 하지만, 글쎄, 자꾸 스스로가 나병을 숨긴 환자나 신분을 속인 천민으로 생각되었던 까닭에 잘 풀리지는 않았다.

슬픔을 숨기고 무리 속에서 웃고 떠들어도, 혼자 있는 밤에 나의 우울은 다시 열등감으로 이어졌다. 그 열등감은 금세 또 외로움으로 이어졌으며, 그 감정들의 반복은 또 다른 우울을 낳았다. '나는 비정상이야, 우울하니까. 그리고 내가 왜 우울하냐면, 비정상이기 때문이지!' 그 끔찍한 순환논리를 버리는 일이 그렇게도 힘들었다. 그것이 오류투성이의 엉성한 것임을 알고 있었는데도. 아니, 어쩌면 알고 있어서 더욱.

그리하여 나는 오랫동안 부끄러운 슬픔을 가진 사람으로 살았다. 스스로를 부끄러워한다는 그 사실조차 자각하지 못한 채 다만 고개를 처박고 걸어 다니던 시절이었다. 그런 날들의 가운데, 이 문장을 만났다.

「부끄러움 많은 생애를 살았습니다.」

그것은 감정에 솔직해지지 못하면서 거짓말에 능숙하지도 않은, 그래서 그 모든 것들을 태연히 해내는 뭇사람들을 도무지 이해하지 못하는, 또 그래서 타인들을 모조리 두려워하면서도 도리 없이 사랑하는, 그리하여 숙명처럼 모든 관계에 실패하고 끝내 실격된 인간으로 스스로를 소개하는 한 남자의 첫마디였다. 한심하고 혐오스러운, 또 가엾고 사랑스러운 그 남자의 이름은 요조. 정상인들은 도무지 이해하지 못할, 그야말로 병신(病身)의 논리와 마음을 공들여 설명하는 그 수기(의 형식을 빌린 소설)에 나는 깊이 매료되었다. 내가 바로 그와 동종의 병을 앓는 병신이었기 때문이다. 소설의 이름까지도 그렇게 애틋했다. 인간, 실격, 이라니.

책 뒤쪽 작품해설에 실린, 그 소설을 두고 당대의 한 평론가가 내렸던 혹평이 나로 하여금 그 소설을 더욱 사랑하게 했다. 그 평론의 내용은 대충 이런 것이었다: "냉수마찰이나 도수체조만 성실히 해도 나을 법한 우울증에 문학을 끌어들이는 것은 비겁한 짓이다. 나으려고 하지 않는 환자는 환자가 아니다." 과연, 과연. 어쩌면 그러한 혹평이야말로 그 소설의 제목을 더 단단하게 하는 것만 같았다. 슬픔을 노력으로 극복할 줄 아는, 정상인들의 세계에서 누군가는 인간은커녕 환자로서의 자격조차 갖지 못한다. 가엾어라, 가엾어라. 나는 그 소설을 통해서야 간신히 스스로를 동정할 줄 알게 되었다.

낡아서 이제는 거짓말 내지는 허튼소리가 되어버린,

수많은 옛말 중 내가 가장 우습게 여기는 것은 동병상련의 정이라는 말이다. 나는 더 이상 그런 것들을 믿지 않고, 제 입으로 그런 말을 하며 살갑게 구는 이는 더더욱 불신한다. 누군가를 이해한다고 자신하는 일의 대부분은 오만에서 기인한 착각임을 알게 된 까닭이기도 하고, 사람들은 제가 가진 아픔의 너ㅈ비와 깊이만큼을 이해할 수 있다는 것을 체감한 까닭이기도 하다.

그래도 같은 병을 앓는 이들끼리 같이 있으면 조금 덜 외롭기는 할 것이다. 다는 몰라도 아마 내가 아는 만큼은 건너앉은 저이도 아플 테니까. 그도 어쩌면 제가 아픈 만큼은 나를 알아줄 테니까.

나는 아직도 내가 비정상인 것만 같다. 그러나 아주 외로워지는 날에, 그러니까 도무지 내가 다른 사람들만큼 세상이나 타인이나 자기 자신에 대해 적응할 가능성조차 없는 것 같다는 생각이 드는 밤에, 정상인이 되는 시험에 낙제해버린 것 같은 기분이 드는 그 어느 때에, 나는 이 소설을 꺼내어 읽는다. 한심한 새끼, 불쌍한 새끼, 욕을 하면서 읽는다. 읽다 보면 가끔 눈물이 난다. 그렇게 울면서 요조의 파멸을 끝까지 목도하고 나면 이상하게도 외로움이 조금 가시는데, 그건 아주 이상한 생각 하나가 문득 떠올라 내게 어깨동무를 해오기 때문이다.

나는 병신이지만, 적어도 둘인 병신이라는 생각 말이다.

엎드려 우는 사람들

김현경

"

어떤 눈물은 엎드려 울 수밖에 없다

"

신철규 **지구만큼 슬펐다고 한다** 책, 2017

연남동의 작은 서점 '북스피리언스'에서 시집을 몇 권 골라왔다. 시집을 잘 읽지 않지만 시인이 운영하는 서점이기에 그랬다. 그중 한 권이 신철규 시인의 〈지구만큼 슬펐다고 한다〉였다. 파란색 표지가 마음에 들었고, '지구만큼 슬픈 건 무엇일까?' 하는 생각이 들어서였다.

얼마 후 주말, 무료한 마음에 사둔 시집을 펼쳤다. '작가의 말'에서부터 가슴이 시큰해졌다. 이 시집을 사랑할 수밖에 없다 생각했다.

절벽 끝에 서 있는 사람을 잠깐 뒤돌아보게 하는 것,
다만 반걸음이라도 뒤로 물러서게 하는 것,
그것이 시일 것이라고 생각했다

숨을 곳도 없이
길바닥에서 울고 있는 사람들이
더는 생겨나지 않는 세상이
언젠가는 와야 한다는 믿음을 버리지 않겠다.

본의 아니게 계속해서 우울증에 관한 책을 만들면서 우울증을 겪었거나 겪고 있는 많은 이들을 만났다. 어떤 사람들은 밝은 얼굴로 다가와 내 앞에서 울었고, 어떤 사람들은 무표정한 얼굴로 다가와 웃으며 떠났다. 이백 부정도를 뽑아다 팔고 끝내려던 '독립 출판'은 여섯 번째 인쇄본이 거의 동났다. 그 이 년 동안 항상, '세상에 우울한 사람이 왜 이렇게 많지?' 생각했다.

고작 이 년 전만 해도 '말하면 안 되는' 것이었던 우울증에 관한 컨텐츠는 넘쳐나고, 베스트셀러에도 우울한 이들을 위한 책들이 가득하다. 우울증 혹은 깊은 우울 증세를 겪는 사람들이 그만큼 많다는 방증이다. 그러던 중 신철규 시인의 <지구만큼 슬펐다고 한다>에 실린 시인의 말을 보고는 내가 그동안 지나쳐온 많은 사람들의 얼굴을 떠올렸다.

어떤 눈물은 너무 무거워서 엎드려 울 수밖에 없다

엎드려 울 수밖에 없는, '숨을 곳도 없이 길바닥에서 울고있는 사람들'의 얼굴을 떠올린다. 가끔은 너무나 아프고 힘든 사람들 때문에 내 우울이, 내 병증이 별것 아닌 것 같은 생각이 든다. '그 사람들에 비하면' 하는 오만

하면서도 다행인 생각을 했다. 나보다 아프고 힘든 사람들이 많다. 이 사실은 어쩌면 내가 돕고 함께 슬플 수 있는 사람들이 많다는 뜻이기도, 나와 가까울 수도 멀 수도 있는 어려운 이들을 보며 내 처지가 낫지, 의미 없는 위안을 할 수 있는 것이기도 했다. 물론 내 눈물이 너무 무거워 내가 엎드려 울 수밖에 없다 생각한 나날이 더 많기는 하지만 말이다.

꿈속에서 많이 운 날은 날이 밝아도 눈이 떠지지 않습니다

<바벨>, **지구만큼 슬펐다고 한다** 신철규 중

가끔 바깥에 나가 사람들을 만나면, 내게 "요즘은 잘 지내요?" 묻는다. 나는 전혀 괜찮지 않지만, 오늘도 무거운 몸을 겨우 끌고 나왔지만, "괜찮아요." 말한다. 내 우울을 드러내면 사람들은 불편해한다. 실로 불편해하는지 알 수는 없지만 진짜 나를 드러냈을 때 열댓 명씩 사라지는 SNS '팔로워'의 수치를 보고 느낀다. 그 정도로 나는 작은 사람이다.

사람들은 고상하고 조용히 책 같은 걸 만들고 기적적으로 우울증 같은 걸 이겨내고 긍정적으로 열심히 사는 나를 좋아한다. 하지만 그건 내가 아니다. 자주 울고 자주 멍청히 누워 언제 죽을까 생각하며, 누구에게도 드러내지 못해 결국에 정신과 폐쇄병동에까지 가게 되는, 그

세 나냈나. 이렇게 말해도 누군가는 이 책을 편집하고 디자인하고 내는 나를 나라고 생각할 것이다. 여전히 받은 원고에 울고 술 없이는 글 몇 자 쓰지도 못한다.

혀끝에 눈물이 매달려 있다
그녀 속에서 얼마나 오래 굴렀기에 저렇게
둥글게 툭툭
<슬픔의 자전>, **지구만큼 슬펐다고 한다** 신철규 중

이 시집의 대표작이라 불릴 수 있는 〈슬픔의 자전〉에서는 타워팰리스 근처 빈민촌에 사는 아이가 반에서 유일하게 생일잔치에 초대받지 못했을 때, "지구만큼 슬펐다"고 말했다 한다. 지구만큼, 지구만큼 되뇌어 보았다. 나는 절로 고개를 숙이고 눈물을 뚝뚝 떨어뜨릴 수밖에 없었다.

이 책에서도, 〈아무것도 할 수 있는〉에서도, 다른 매체에서도, 사람들은 누군가의 슬픔에 함께 울며, 어떤 공감과 위안을 얻는다 말했다. 나는 그것이 무엇인지 몰랐다. 특히 그것이 '시'라는 형식일 때 더더욱 몰랐다. 하지만 이 '혀끝에 눈물이 매달려 있'는 사람들의 이야기가 '작품'으로, '시'로 표현되었을 때, 그것이 이 시집이 아닐까 생각했다.

고백컨대 나는 이 시집을 끝까지 읽은 적이 없다. 매번 눈물을 꾸역꾸역 삼키게 되거나, 어떤 뜨거운 것이 올라와 그만두거나. 그러면서도 술에 취하면 가방에 있던 이 시집을 꺼내 "정말 좋은 시집이니 네가 가져. 나는 새로 사서 볼게." 하고 새로 사고, 또 사고를 반복했다. 나는 〈지구만큼 슬펐다고 한다〉만큼 슬픈 '사람들'에 대한 슬픈 시집을 본 적이 없다. 요즈음의 아프고 힘든 사람들을 이만큼 슬프게 표현한 책은 내겐 없었다. '작가의 말'부터 신형철의 평론까지 모두가 슬프다. 이 시집을 읽어내며 느꼈던 감정을 부족한 나의 언어로는 표현할 수가 없다. 다만 이 글을 읽는 사람들이 〈지구만큼 슬펐다고 한다〉를 읽어보면 좋겠다. 아마 나와 비슷한 기분을 말할 수는 없어도 느낄 수는 있을 테니까.

나는 항상 슬프다. 내가 슬픈 이유는 슬픈 사람들 때문이다. 알지 못하며 아무것도 아닌 내 앞에서야 겨우 울음을 보이는 사람들, 차별과 싸워도 승산이 보이기는커녕 비난받는 사람들, 싸울 힘도 없고 자신만의 어두운 방에 가두어져 있는 사람들. 그 사람들이 슬프다. 내가 그들을 만나고 볼 수 있는 인터넷이라는 세상 속에서 그들이 비난받는 대상이라는 사실에도 매번 나는 고개를 떨구고 슬퍼할 수밖에 없다.

상담사 선생님은 내게 말했다. 우울증을 겪는, 혹은 겪은 사람들의 그 경험이 나쁜 것만은 아니라고. 자기 자신에 대해, 다른 사람들의 감정에 대해 누구보다도 더 깊게, 오래, 아프게 생각해온 사람들이기 때문에 누구라도 더 잘 이해할 수 있을 거라고 말했다. 사회의 기준에 가까워지고 멀어지며, 오만과 불안 사이를 진자운동하며 살아가던 내가 슬픈 사람들의 슬픔을 이해하게 된 때도, 나에게 내가 가장 슬픈 사람이 된 후였다.

우리는 서로의 슬픔을, 눈물을 조금 더 이해할 필요가 있다. 우리 곁의 '엎드려 울' 수밖에 없는 사람들의 어깨를 조용히, 따뜻하게 덮어주자. '엎드려 우는' 사람들, '지구만큼 슬픈' 아이들, '화염의 거울을 바라보는 벌겋게 달아오른' 사람들을 마주하자. 만약 당신이 그 사람이라면, '절벽 끝에 서 있'다면, 함께 이해하고 슬퍼하고 아파할 한 권의 시집이 있으니 함께 읽고 울자. 다른 생각 말고 그저 읽고, 울고, 잠에 들자.

함께 추천하는 다른 작품들

신형철 **슬픔을 공부하는 슬픔** 책, 2018
정세랑 **피프티 피플** 책, 2017
김현경 외 **아무것도 할 수 있는** 책, 2016
폴킴 **오늘 밤** 음악, 2018

친애하는 카푸스 씨

___

아름

"

그러므로, 친애하는 카푸스 씨, 지금 당신의 눈앞에 당신이 여태껏 본 적이 없는 무시무시하게 큰 슬픔이 우뚝 치솟는다고 해도 놀라서는 안 됩니다. 햇살과 구름의 그림자처럼 마음의 불안이 당신의 두 손 위로 그리고 당신의 모든 행동 위로 스칠 때에도 마찬가지입니다. 당신은 당신의 내면에서 무슨 일인가가 일어났으며 삶이 당신을 잊지 않았을뿐더러 당신을 손에 꼭 쥐고 있음을 생각해야 합니다. 그러므로 삶은 당신을 떨어뜨리지 않을 것입니다.

"

___

라이너 마리아 릴케 **젊은 시인에게 보내는 편지** 책

손만 닿아도 코끝이 찡해지는 책이 있다. 같은 책을 반복해서 읽는 걸 좋아하는 편이 아닌데도, 그 책에는 유독 손이 많이 가서 책도 많이 낡았다. 어떤 글을 필사한다는 일이 익숙지 않은 나인데도, 그 책은 꼭 내 손으로 종이에 꾹꾹 눌러 적어보고 싶었다. 어딘가에 그 책에 대해서 써놓은 글이 있을 법도 한데, 아무 데도 없어서 당황스러웠다. 나에게 익숙한 무언가에 대해 새로운 글을 쓰는 건 어색한 일이라는 걸 이번에 깨달았다.

처음 이 책을 만난 게 언제였을까. 점점 심해지는 우울 탓에 1.5평 남짓한 고시원 방 안에 나를 가두는 게 일상이었던 때였던 것 같다. 나를 옥죄어오는 게 정확히 어떤 건지도 모르고, 깊은 감정을 어떻게 다뤄야 할지 몰라 우울 속에서 허우적대던 중에 이 책을 만났다.

지금에야 병원도 다니고, 상담도 받으면서 우울이 날더 갉아먹지 않게 하려고 노력하지만, 그때는 내 이런 이야기들을 입 밖으로 꺼내기도 어려워하던 때였다. 우울은 내게 있어서 '안 좋은 감정', '싫은 감정'일 뿐이었고, 이런 감정들을 언어로 만들어 내뱉는 순간 더 커질 거라 생각했다. 그래서 그 감정을 나 혼자 삭이는 게 내가 할 수 있는 전부였다. 그 즈음부터 나는 주위로부터 고립되기 시작했다. 내 감정을 어느 누구에게도 온전히 말할 수 없으니 타인으로부터 어느 것도 공감받지 못하는 기분이 들었고, 공감받지 못함으로써 오는 외로움은 이루 말할 수 없이 컸다. 누굴 콕 집어 내 감정을 털어놓다 보면 그 사람에게 너무 의존하게 될까 봐 두려웠고, 그 두려움은 나를 또 외롭게 했다. 외롭기 때문에 오는 우울감도 컸다. 그런 외로운 감정을 잠잠하게 만들기 위해서 나는 물건들을 사들이기 시작했다. 책도 그중 일부였다. 상담을 받고 나서 힘이 빠질 때, 수업을 듣다가 갑자기 눈물이 날 때, 강의실을 옮기기 위해 교정을 걷는 것마저도 그저 지칠 때, 학교 안에 있는 서점에 들러 제목이 맘에 드는 책들을 내용도 찾아보지 않고 사들였다. 책을 산다는 것은 나에게 있어서 일종의 보상이었다. 외로움을 참아내고 가슴 깊은 곳으로 삼키는 대신에 얻을 수 있던, 얻어야만 했던 그 무엇이었다.

그러던 중에 이 책을 만났다. 잘 굴러가는 듯했던 일상이 버겁게 느껴지고, 갑자기 삶이 엄청나게 큰 짐으로 다가오는 날이었다. 여느 날과 달리 외로움에 사무치는 날이었고, 유난히 날 위로할 무언가가 필요했을 때였을 것이다. 서점에 들어가 친구에게 추천받은, 그러나 무슨 내용인지 모를 책인 라이너 마리아 릴케의 〈젊은 시인에게 보내는 편지〉를 샀다. 라이너 마리아 릴케라니. 이십대 후반의 내 나이 또래들이라면 다들 한 번쯤은 경험해봤을 '한컴타자연습'에서 윤동주 시인의 〈별 헤는 밤〉을 타자로 옮겨 적을 때나 보던 이름이었는데, 그 사람의 책을 산다는 게 꽤 흥미로웠다. 어쩌면 〈별 헤는 밤〉을 통해 그 이름이 익숙해진 탓에 더 쉽게 사버렸을 수도 있었겠다 싶다. 처음 책을 읽을 땐, 마치 내가 그 편지의 수신인인 카푸스라도 된 듯이 느껴졌다. 릴케가 나의 마음을 너무나도 잘 꿰뚫어보는 것 같았다. 우울에 대해 고민하고, 고독에 관해 고심한 릴케의 흔적이 고스란히 나에게 전해지는 것 같아서 큰 위로가 되었다.

책은 제목에서부터 알 수 있듯이 '젊은 시인 카푸스'에게 보내는 열 통의 편지 묶음이었다. 릴케의 편지는 늘, 한결같이, "친애하는 카푸스 씨"라는 문장으로 시작한다. 나는 이 '친애하는'이라는 단어가 주는 느낌이 이렇게 따뜻할 줄 몰랐다. 릴케의 편지는 이 단어 하나만으로도 '나는 늘 당신을 생각하고 있습니다.', '당신의 곁에는 내가 있습니다.'라고 말하는 것 같았다. 총 열 통의 편지 중에 특히 여덟 번째 편지는 지금도 여전히 우울해질 때면 읽고 또 읽으며 필사를 할 정도로 좋아하는 부분이 되었다. 여덟 번째 편지는 나를 많이 되돌아보게 했다. 죄책감으로 얼룩진 자기반성이 아니라, 진심으로 나 자신에 대해 생각해볼 수 있는 시간을 만들어줬다. "당신은 많은 큰 슬픔을 겪으셨습니다."로 운을 떼는 이 편지는 나의 우울한 모습을 인정하고, 슬픔을 있는 그대로 지나가게 두는 법을 조금이나마 배울 수 있게 했다. 릴케가 카푸스에게 보낸 편지는, 이렇게 다시 릴케가 나에게 보내는 위로가 되어 돌아왔다.

누군가의 마음이 담긴 편지를 받는 것만큼 그 진심이 느껴지는 일도 별로 없다고 생각한다. 릴케의 편지를 여러 번 읽은 후로는, 주위 사람들에게 이 책을 직접 사서 선물하기 시작했다. 아마 내 주위의 열댓 명 정도는 나에게 이 책을 받지 않았을까 한다. 내가 느낀 따스한 감정을 누군가에게 전해주는 일이, 그때의 내가 내 안의 온기를 잃지 않기 위해 할 수 있었던 유일한 일이었다. 비슷한 맥락으로, 나는 내 우울에 관한 글을 쓰게 되었다. 누군가에게는 내가 적은 글이 릴케의 편지처럼 따뜻한 위로가 되기를 바라면서, 〈아무것도 할 수 있는〉에 투고도 했다. 그리고 가끔 궁금해한다. 같은 감정을 공유하는 누군가가 내 글을 보고 자신을 달랠 수 있었을지, 감당할 수 없는 감정들을 쓰다듬을 수 있었을지. 우울 속에서 써내려 간 내 글이 누군가에게는 릴케가 전하고 싶었던 위안이 되었으면 한다.

처음 어둠 속으로 문을 열고 들어가게 될 때엔 내가 어둠인지, 어둠이 나인지 잘 구별이 가질 않는다. 그렇기 때문에 어둠 속에서 손을 휘적거리고, 그 속을 헤매면서 두려워한다. 점점 더 나 자신이 어둠으로 얼룩질 것만 같은 생각에 발버둥 치기도 한다. 그렇지만 시간이 지나고 내가 어둠 속에 적응하게 되면, 이제 가까스로, 내가 어둠이 아니고, 어둠 또한 내가 아니라는 것을 안다. 시간이 지나도록 내버려두는 게 어쩌면 답이 될 때도 있다. 여전히 우울을 앓고 있지만, 우울이 내가 아닌 것을 알고, 나 자신에게 있어 우울함이 전부가 아닌 것을 알고 나면, 그 사실만으로도 조금은 나에게 위로가 되지 않을까 생각해본다. 릴케가 편지에서 말했던 것처럼, 나에게 큰 우울이 다가올 때 그 우울을 기꺼이 벗으로 맞이할 수 있는 날이 올 수 있으면 좋겠다.

함께 추천하는 다른 작품들

노르웨이 숲 **너는, 꽃** 음악, 2017

누구에게나 바보가 될 꿈을 꾼다

호송

미야자와 겐지 **비에도 지지 않고** 책

어렸을 적 우리 집은 너무나 가난했었지만 배움에 있어서 부모님은 지원을 아끼지 않으셨다. 남들이 흔히 하나씩 가지고 있던 브랜드의 운동화는 없었지만 가장 먼저 CD-ROM이 장착된 컴퓨터를 사주셨다. 그때부터 별 다른 생각 없이 나는 장래희망을 컴퓨터 프로그래머라 말했다. 조금 더 어린 시절에는 흔히들 적어내는 대통령, 판사 혹은 의사와 같은 것들이 꿈이었다. 그때는 잠들기전 내가 월드컵에 나가는 상상을 했고, 몇만 명 앞에서 연주하는 락 밴드의 기타리스트가 되기도 했다. 지금은 그런 상상들이 나에게 조금의 흥분도 가져다주지 못한다. 나는 꿈을 잃었다.

고등학교를 졸업하고 대학을 나와 사람들이 원하는 대기업이라는 곳에 취직했지만 하루하루 삶을 버텨내는 것 외에 즐거움이 없었다. 그렇게 좋아하던 것들도 잘해야한다는 압박감에 취미생활조차 일이 되어버렸고, 시간이 지날수록 즐거움보다 지루함이 커져갔다. 세상에

해가 되는 사람들을 심판하겠다던 내가 비인간적인 결정 사항을 전달하는 사람이 되어버렸다. 담배 연기에 눈살을 찌푸리지 않는 나이가 되어서야 원대한 꿈을 이루는 것보다 내 작은 가치관을 지키는 것이 더 어렵다는 것을 알게 되었다.

미야자와 겐지는 살아 생전에는 원고료를 5엔밖에 받지 못한 불운한 작가이다. 교육자이자 작가였던 그는 농민의 고충을 느끼고 교사를 그만두고 농경생활을 하기도 하였으며, 농민들에게 예술의 중요성을 강조하여 동화나 레코드 감상회를 열었다. 비료 개발과 토양학에 매진하던 그는 32살에 과로와 영양실조에 걸리기도 했다. 평생 남들을 위해 살았던 그는 37살에 급성 폐렴으로 사망했다.

미야자와 겐지를 보고 누구는 미련한 사람이라 말하고 누구는 훌륭한 예술가라 한다. 대부분의 사람은 미련한 사람이 될 용기가 없다. 내 가치관보다는 타인의 시선이 더 중요하다. 나 또한 아무 의미 없는 타인의 시선에 맞추기 위해 몇 년을 맞지 않는 옷을 입고 살아가고 있다. 가끔 정말 다 그만두고 싶을 때가 오면 미야자와 겐지의 미발표 유작 시인 〈비에도 지지 않고〉를 읽는다. 시라기보다 자신을 다잡고 가치관을 지키기 위한 기도와 같은 이 글은 바보가 되라 말한다.

"동쪽에 병든 아이가 있으면 가서 간호를 해주고 (중략) 가물 때에는 눈물을 흘리고 찬 여름에는 허둥지둥 걸으며 모두가 날 얼간이라 부르고 칭찬받지 못하고 근심거리도 되지 않는 그런 사람이 나는 되고 싶네"

편하게 살기 위해서, 조금 더 이익을 취하기 위해서 남을 이용하라 말한다. 제도의 허점을 사용하고 타인에게 공감하지 말라고 한다. 다른 사람들 모두가 그렇게 살아가니 너 또한 그렇게 살지 않으면, 이득이 아니라 손해를 볼 것이라 경고한다. 이런 사람들 속에서 얼간이가 된다는 건 얼마나 어려운 꿈일까? 아직 아무도 돕지 못한 서른넷의 나는 오늘 다시 한 번 얼간이가 될 수 있게 해달라고 기도한다.

만신과 모순

피치코니

양귀자 **모순** 책

땅콩이를 보면서 "어이구 초년 운도 박복한 우리 땅콩이."라고 할 때가 있다. 그럴 때마다 팔 병신 주제에 다리 병신 놀리는 것마냥 마음 한편이 찔리는데, 초년 운 박복하기로는 나도 어디 가서 빠지지 않기 때문이다. 얼마 전에는 스물다섯 살이 넘은 기념으로 만신을 찾아갔는데 글쎄 만신이 대뜸 "넌 부모 덕 볼 생각은 꿈에도 하지 마. 꼼짝없이 자수성가할 팔자야."라고 하기에 엄마 치맛자락에 매달리는 어린아이마냥 "더 나이 먹고서라도 부모 덕 볼 일은 없나요?"라고 되물었더니 두말하면 입이 아프다는 표정으로 그날 제사에 올릴 떡이 많으니 떡이나 들고 가져가라기에 졸지에 복채를 내고 떡을 받아온 일이 있다.

본디 제사상에 올라가기 위해 만들어졌으나 상에는 올라가지 못한 떡과 본디 사랑받기 위해 태어났으나 그러지 못하고 자란 나. 멍하니 역할을 잃은 떡을 받아들고 서서 나의 스물여섯 해 인생을 되돌아본다. '모순'의

한 구절을 외워두었던 것이 문득 다행이라고 여겨진다.

모든 사람들에게 행복하게 보였던 이모의 삶이 스스로에겐 한없는 불행이었다면, 마찬가지로, 모든 사람들에게 불행하게 비쳤던 어머니의 삶이 이모에게는 행복이었다면, 남은 것은 어떤 종류의 불행과 행복을 택할 것인지 그것을 결정하는 문제뿐이었다.

양귀자 **모순** 중

어쩌면 나는 진진*의 나이가 되기도 전에 안진진이 스물다섯이나 되어서야 깨달은 것을 이미 알고 실천하고 있었는지도 모른다. 객관적으로 보아 참 팔자가 사납기 그지없는 인생이지만 단 한 번도 스스로를 가엽게 여겨 본 적이 없다. 내가 아직 바닥에 닿지 않았다는 것을 알고 있었기 때문이다. 좋은 의미로든, 나쁜 의미로든. 살면서 뼈저리게 익힌 바였다. 이미 바닥이라고 생각한 순간에도 삶은 언제나 더 내려갈 곳을 만들어놓고는 했고 가끔은 숨 쉴 구멍을 하나나 둘쯤 마련해주기도 했다. 작은 기쁨에 세상을 다 가진 듯 환희하지도, 미칠 것 같은 슬픔에 모든 것을 잃은 듯 절망하지도 않는 것이 내가 사는 방식이었다. 그러니 "넌 부모 덕 볼 생각은 꿈에도 하지 마. 꼼짝없이 자수성가할 팔자야."라는 만신의 문장에 내게 남은 것은 어떤 종류의 불행과 행복을 택하여 자수성가할 것인지. 그것을 결정하는 문제뿐이었다.

* 〈모순〉의 주인공

듣고 싶었던 말

남연오

"

원하는 대로 해.
내가 너의 편이 되어줄게.

"

정현주, 윤대현 **픽스 유 책**, 2017

평생 듣고 싶었던 말을 활자로 선물받은 적이 있다. 오랜 시간 라디오 작가로 살아온 정현주 작가님과 서울대 정신건강의학과 교수이신 윤대현 교수님이 지은 〈픽스 유〉라는 책.

인생은 툭하면 우리를 가파른 절벽 끝으로 몰아가고, 바라는 것은 떨어지지 않도록 손 잡아줄 사람일 텐데 오히려 밀어붙이고 싶지 않아서 판단 같은 것은 접어두고 말한다.

"원하는 대로 해. 내가 너의 편이 되어줄게."

사실은 내가 듣고 싶은 말. 사랑해서 하는 말.

맞다. 내가 너무나 듣고 싶은 말이다. 그래서 더더욱 신랑에게 많이 했던 말이기도 하다. "원하는 대로 해. 뭘 선택하든 나는 당신 편이니까." 마음 넓은 듯 보이지만 솔직히 나에게 돌아오기를 기대하고 한 말이다. 그래서 신랑이 나에게 무엇이라도 지적하거나 날 선 조언을 하면 그렇게 마음이 아프고 날이 섰다.

그날도 그랬다. 신랑이 홧김에 뾰족한 말을 몇 마디 하고는 집 밖으로 나가버렸던 날. 여름의 끝자락, 신랑과 초밥에 소주 한잔을 기울이고 있었다. 그날따라 신랑이 맛있는 초밥을 나에게 다 양보했다. 기분이 찢어질 듯 좋아져서는 소주 한두 잔을 더 먹고 쫄래쫄래 집으로 향했다. 좋았다. 뜨거운 바람도 시원해지기 시작했고. 알딸딸 붕 뜬 기분에 발걸음도 가벼웠다. 절로 콧노래가 나오고 목소리가 높아졌다.

문을 열었다. 상쾌했던 기분과 달리 집의 공기는 눅눅해 한껏 무거워져 있었다. 집 안도 엉망이었다. 순식간에 분위기는 반전되었다. 과음했던 탓일까. 어수선한 집 구석에 정신이 어지러웠다. 신났던 목소리로 발에 차이는 것들을 언짢아하다 보니 언성이 높아졌다. 문이 열렸고 신랑이 나가버렸다. 좋았던 만큼 두 배로 화가 났다.

항상 내 편이기를 바란다는 게 무리라는 걸 안다. 좋은 말만 해준다는 게 말도 안 되는 부탁이라는 걸 안다. 하지만 단단하지 못한 마음은 그걸 바랐다. 그래서 신랑의 입에서 날 선 말들이 쏟아져 나왔을 때 내 마음은 저항 없이 베여버렸다. 조각난 마음을 들고 나는 부엌으로 몸을 질질 끌고 갔다. 아무렇게나 벌여둔 약봉지를 하나하나 찢어 입에 털어 넣으며 생각했다. 내 편은 없어. 나는 혼자야. 바보같이 그걸 받아들이지 못해서 매번 이렇게 아프다니 참 미련하고 한심하다. 이번에 아파 놓고 다음에 또 반복하겠지. 반복하지 않으려면 이 길밖에는 없어.

약을 먹을 만큼 먹은 듯하니 마음도 차분해졌다. 그리고 잠이 들었다. 하지만 어느 정도 알고는 있었다. 죽지 않을 거라는 걸. 최소한 잠이라도 며칠 잤으면 했다. 그러나 그 다음 날 아침 나는 너무도 일찍 깨어나 앉아 있었다. 인생은 가까이서 보면 비극이지만 멀리서 보면 희극이라고 했던가. 평온을 향한 나의 첫 달리기는 예선 탈락으로 끝나버렸다.

"원하는 대로 해. 내가 너의 편이 되어줄게."

이 구절을 읽고 문득 생각했다. 나는 죽는 것을 원한 게 아니라, 내 편이 아니라는 상처를 받기 싫었던 거구나. 외로워지는 게 무서웠던 거구나.

나는 영원히 그 무서움에서 벗어나겠다는 욕심을 부렸다. 그리고 다음 날 아침 멀뚱히 깨어 앉아서는 생각했다. 세상에 내 몸 하나 내 마음대로 안되는구나. 하물며 남의 마음이야. 온전히 내 편이기를 바란다는 것 자체가 어불성설이라는 것을 안다. 알면서도 또 바란다.

나를 붙든 문장들 ─────────────

책

잘 미워하는 법

———
재은

———
헤르만 헤세 **데미안** 책

"나는 미워하는 입장인데 왜 이렇게 힘들지."
그런 생각을 했다.

어쩌면 미움 받는 것보다 힘들고 괴로운 건, 미워하는 마음인지도 몰라서. 사람을 미워하는 일은 스스로의 인생을 그만큼, 혹은 그보다 많이 갉아먹더라. 자기가 미워하는 대상의 실체도 모르면서, 어쩔 줄도 모른 채 별수 없이 미워하고만 있는 그런 일들.

고등학교 삼학년 때, 가장 친한 친구를 미워했다. 내가 그를 가장 사랑했는지 확신할 수 없지만 아주 좋아했다는 사실은 분명했다. 그래서 그렇게 미워하는 만큼, 아니 그보다 더 괴로웠으니까. 콕 집어 왜 그런 마음이 일었는지 말하기는 어려웠다. 그냥 말하기 좀 그런 건지도 모르고. 반이 갈라지고 전처럼 지낼 수 없게 되면서 서운했을 테고, 대화가 줄어들며 자연스레 이해할 수 없는 간격이 늘어났다. 그러던 중에 네가 사람들의 입방아에

올랐다. 너에 대한 이야기가 여기저기 흘러다니는데 그럴수록 너는 나에게도 말을 줄였고, 오해를 늘리고, 결국 다른 이들에게 서로 다른 여러 이야기를 듣게 했다. 우리는 확실히 남이 됐다고 느꼈다.

나는 그 사실이, 또 그가 미워서 끙끙 앓았다. 앞자리에 앉은 그 뒷모습에도 불쾌함 비슷한 감정에 마음이 주체가 안 됐고 악에 받친 듯한 내가 버거웠다. 미워하는 마음이 커져 신경이 자주 곤두서있었고 그만큼 행복할 수도 즐거울 수도 없는 때가 많아졌다. 마음은 끊어낼 수가 없는데, 그게 미움이라 나는 스스로를 불행한 시간에 그대로 두고 있을 수밖에 없었다. 방학이 다행스럽기가 그지 없었다. 과장 조금 섞은 진실로 대학 가는 데 지장이 있을 것 같았다.

처음부터, 안면을 트고 대화를 나누고 여태까지의 그 어떤 관계보다 빠르게 가까워졌을 때부터 우리는 정말 다른 사람인게 분명했다. 똑같이 주어진 상황에서의 행동, 친구들과의 소통 방식, 우리 대화의 모든 순간에서 우린 달랐다. 하지만 분명 그래서 쉬웠을 거라고, 성격이 안 맞아 늘 다투면서도 서로를 참 좋아할 수 있는 이유가 바로 그 다름이었을 거라고 우리는 믿었다. 그랬던 일년이 지나 우리가 천천히 멀어지고 내가 너를 미워하게 된 건 사실은 서운함도, 서로의 거리가 멀어져서도 아니었다. 한참을 미워하다가 겨우 깨달았다. 우리가 닮았다고, 모난 부분들이 꼭 닮았다고. 나는 네가 나를 믿지 않으니 그게 그렇게 불만이었다. 그러다 문득 너를 믿지 않는 내가 보였다. 그 커다랗던 미움이 다 네 모습에 비친 내 허물이었다. 내 속좁음을 인정할 수가 없어서, 못난 나를 받아들이기가 어려워 대신 너를 괴롭히고 있었다.

"자네가 죽이고 싶어하는 인간은 결코 아무아무개 씨가 아닐세. 그 사람은 분명 하나의 위장에 불과할 뿐이네. 우리가 어떤 사람을 미워한다면, 우리는 그의 모습 속에, 바로 우리들 자신 속에 들어앉아 있는 그 무엇인가를 보고 미워하는 것이지. 우리들 자신 속에 있지 않은 것, 그건 우리를 자극하지 않아."

헤르만 헤세 **데미안** 민음사, 152쪽

이 문장은 십 년이 지난 지금까지도 유난하게 나를 흔든다. 내 미움의 바닥, 한동안 괴로웠던 마음이 선명해졌다. 내 눈에 비치는 세상의 모습은 하나부터 열까지 오해로 이루어져 전부 개인적으로 왜곡되어 있다. 아무리 가까운 사이라도 사람은 평생 각자 전혀 다른 세상 속을 살아간다. 그럼에도 불구하고 우리는 수많은 시행착오를 겪으며 여전히 함께다. 미워하고 사랑하며. 내가 견딜 수 없었던 네 모순되고 답답한 모습은 사실 내가 원래 가진 이기적인 모습들이라 그 실체가 눈앞에 나타나자 나는 꼭 속마음을 들킨 것 같아 너를 욕하며 결백함을 증명했었다.

나를 마음껏 사랑하고 받아들일 수 없는 이유로 친구를 탓했다. 아름다운 모습을 받아들이기는 쉽다. 다만 스스로의 허물을 인정하는 일은 정말 어려워서 때때로 우리를 고독하게 한다. 아마 그래서 우리는 누군가를 미워하는 편리한 방법으로 못난 마음을 한 겹 두 겹 꽁꽁 숨겨두고야 말았던 거라고.

우연히 만난 문장, 그 문장을 멋대로 해석한 덕분에 삶이 많이 쉬워졌다. 상대방의 허물을 볼 때, 내 무신경한 행동과 말을 떠올린다. 그렇다고 상대방을 쉽게 인정할 수도, 나를 고칠 수 있는 것도 아니지만 우리는 알고 있는 것만으로도 다른 인생을 산다. 나와 타인에 대한 이해가 내가 사는 세상에 대한 이해가 된다. 그녀와 나는 십 년이 지난 지금도 여전히 서로의 곁에 남아있다. 나는 헤르만 헤세가 은인 비스무리한 그 어디쯤의 사람이라 여긴다. 그 덕분에 내 안에서 시작되는 미움으로 당신들을 밀어내지 않을 수 있게 됐으니.

함께 추천하는 다른 작품들

이해영 감독 **독전** 영화, 2018

이래서 사람은 기술을 배워야 하는 겁니다

홍성하

에리히 프롬 **사랑의 기술** 책

십 년 전쯤의 일이다. 그 겨울에 내 첫사랑은 '내가 좋지만 나를 좋아하는 것은 아니라 지금 헤어지는 게 낫겠다'는, 얼핏 말장난 같은 문장으로 내게 이별을 고했다. 그리고 그냥 돌아섰다면 아마 평생 수수께끼로 남아 때때로 내 자존감의 근간을 뒤흔들었을 말이었는데, 다행히 그 애를 붙잡고 캐물은 덕에 뜻풀이를 들을 수 있었다. 요는 '지금 내게 어느 정도의 애정이 있지만 그 애정이 나라는 인간 자체에 대한 호감에서 기인한 것이라기보다는 내가 베푸는 호의나 그런 것에 대한 감사나 미안함에 가까운 것이라 조만간 나를 상처 입히게 될 것 같다'는 거였다.

말장난이 낫지. 그건 차라리 내가 싫다는 말보다 비침한 선고였다. 얼마간 희망저인 부분이 있었기 때문이다(아직 내게 애정이 있긴 하다잖아!). 적어도 처음으로 누군가를 좋아해본 사춘기 소년에게는 그랬다. 그리고 다들 아시다시피, 애매한 희망보다 사람을 비굴하게 만드는 것은 없다. 해서 그 겨울의 나도 충분히 비굴했다.

"내가 잘해줘서 좋은 거면 계속 잘해줄 테니까 날 좀 떠나지 말아줘." 그런, 애써볼 테니 가능한 한 오랫동안 감사나 미안함과 애정을 혼동해달라는, 도대체가 말 같지도 않은 구걸을 했으니 말이다. 물론 그 애는 그 청을 거절했다.

더럽게 추운 겨울이었다. 많은 것들이 나를 떠나가던 시기였고, 그리하여 첫사랑의 실패는 그 시절의 별리와 상실들을 아우르는 하나의 상징으로 남았다. 심지어 그 애의 얼굴을 완전히 잊어버리게 된 다음에도 나는 그 애의 이름을 떠올리며 자주 앓았다.

그래, 꽤 오래 앓았다. 연애가 실패로 끝날 때마다 나는 그 애와 그 애의 선고를 떠올렸다. 그리하여 때때로, 보다 훨씬 더 자주, 그 애가 남긴 말은 내 자존감의 근간을 뒤흔들곤 했다.

그 애가 그리웠다는 얘기는 아니다. 그저 나를 떠나는 사람들 모두 그 애를 닮은 것 같다는 생각이 자주 들었을 뿐이다. '나를 좋아했지만 끝내 나를 좋아하지는 않았던' 내 연인들은 늘 내가 '좋은 사람이지만 좋아할 만한 사람은 아니'라는 증거들을 남겨놓으며 곁을 떠났으니까. 그리고 그때마다 나는 아팠다. 오래전의 겨울처럼.

하지만, 도대체 어떻게 해야 좋아할 만한 사람이 될 수 있담? 도대체 알 수가 없었다. 해서 나는 이내 사랑받기를 바라는 나 자신을 미워하게 되었는데, 그건 나를 사랑해주지 않는 사람들보다 여러 번 다치고도 사랑을 갈구하는 스스로가 더 지겹고 답답하게 느껴졌던 탓이었다. 밸도 없는 자식, 생전 돌려받지도 못하면서 또 누구한테 마음을 주겠다는 거야? 가끔은 거울을 들여다보며 욕지거리도 했다. 그러다 보면 문득 첫사랑 그 애에게 따지고 싶은 기분이 들었다. 너는 왜 대체 날 사랑할 수 없었니? 물론 대답은 돌아오지 않았으므로, 습관이 된 자기혐오를 반복하는 수밖에 없었다.

나는 왜 사랑받지 못했는가. 푸념이나 하소연에서 그칠 게 아니라 그 질문을 한번 제대로 탐구해보자고 결심한 것은, 절대로 내 지난 연인들에게는 대답을 받을 수 없다는 사실을 더 확실히 깨닫게 된 다음의 일이었다. (놀랍게도 첫 실연으로부터 거의 일곱 해가 걸렸다.) 물론, 방금 말했다시피 그 시점에서는 질문에 직접 답해줄 이들이 하나같이 부재중이었으니, 나는 꿩 대신 닭이라는 심정으로 다른 현명한 사람들에게서 해답을 좀 구하기로 했다. 정확히는, 그들이 남겨놓은 저서를 통해서 말이다. (그래, 연애를 글로 배우기로 한 것이다.) 처음으로 내가 찾아간 이는 스탕달(연애론이라니, 너무 그럴싸한 제목이잖아.)이었고, 그 다음은 롤랑 바르트(띠지에 새겨진 문구가 실로 상업적인 방식으로 감상적이었다.)였다. 그들의 책은 거의 문학에 가까워 여러 차례 나를 경탄시켰지만, 글쎄, 명확한 답을 주지는 못했다.

에리히 프롬은 말하자면 세 번째 스승이었다. 그는 셋 중 가장 쉬운 언어로, 가장 재밌게 가르치는 사람이었는데, 그 사실보다 내게 보탬이 되었던 것은 〈사랑의 기술〉이라는 이름의 이 교재가 (이름값도 못하고) 연애의 요령 따위는 가르칠 생각이 조금도 없었다는 점이었다. 에리히 프롬은 우리가 사랑이라 믿는 열감의 모든 신비로부터 '기술로서의 사랑'을 발췌해내고 있었다. 인간이 다른 존재, 혹은 세계와 교류하는 하나의 (그러나 가장 중요한) 기교로서의 사랑을 말이다. 그리하여 그는 내게 첫눈에 반하는 순간의 열감이나 실연 후에 남는 마음의 열상 따위에 대해 이야기하지 않았다. 대신 부모의 사랑이 자식에게 어떤 의미인지, 친구 혹은 연인에 대한 사랑이 왜 필요한 것인지, 신과 세계를 향한 사랑은 우리를 어떻게 변화시키는지에 대해 조곤조곤 가르쳐주었다.

그래서, '내가 왜 사랑받지 못하는지' 그 이유를 좀 깨닫게 되었냐고? 아니, 전혀. 이 책도 역시 내 질문에 대답을 주지는 못했다. 내가 그로부터 얻게 된 것은 오히려 '내가 왜 사랑을 구하는지'에 대한 대답이었다.

그런데 엉뚱하게도 그것이 나를 구했다. 정확한 답인지는 모르나 적어도 그것은 내가 구할 수 있는 답이었고, 누구나 알다시피, '적어도 구할 수 있는 답을 가진 질문'을 하는 이는 오래 헤매지 않기 때문이다.

오랫동안 나는 쫄딱 젖은 사람으로서, 혹은 바짝 마

른 사람으로서 울었다. 사랑은 폭우나 가뭄처럼 밖에서 찾아오는 것이라, 내가 통제하거나 이해할 수 있는 것이라곤 아무것도 없다고 믿었기 때문이다. 사랑이 어떤 기술이라는 인식은 그래서 내게 퍽 훌륭한 처방이었다. 세상이 '내게 사랑을 주거나 주지 않는' 타인들로 이루어져 있는 게 아니라 '각자의 사랑을 하는' 또 다른 사람들로 이루어져있다는, 이 새삼스러운 진실을 발견하고 나서야 나는 내가 오랫동안 잘못된 질문을 가지고 방황했음을 깨달을 수 있었다.

물론, 여전히 연애는 어렵고 사랑받는 방법은 수수께끼다. 그러나 문제는 늘 사랑하는 일에 있고, 사랑받는 일에 대해 나는 결정할 수 있는 게 아무것도 없다. 그러니 나는 이제 답 없는 질문의 답을 구걸하는 대신 원망하는 방법을 배우려 하고, 이왕이면 원망하기보다 더 올바르게 사랑하려고 애쓴다. 그리하여 거울 속의 나는, 글쎄, 예전보다는 좀 예쁘다.

깨뜨릴 수 없게 단단한 슬픔

남연오

한강 **서랍에 저녁을 넣어 두었다** 책, 2013

어떤 아픔은 깨트릴 수 없게 단단해서, 기억을 다시 그 자리로 반복해서 데려다 놓는다. 누군가 그 아픔에 손을 댈 때마다, 나는 처음 상처 받았던 그 경험으로 다시 회귀한다. 또 바보같이 믿고 다시 바보같이 슬퍼하는 게 이제는 익숙하면서도, 감정은 매번 예전의 기억을 환기한다. 어쩌면 누군가는 뭐 그 정도의 일이야, 라고 할 수 있는 일들이다, 내 상처는. 하지만 나는 그 정도로 자존감이 낮고 자신감이 없는 부족한 사람일 뿐이라는 게 더 슬픈 현실이다.

부끄러운 내 상처를 말하자면 — 잘 따르던 선배가 있었다. 내가 원하는 진로를 향해 한발 앞서가던 선배였다. 큰 도움을 얻을 수 있어 자주 만나고 이야기하던 사이였다. 그는 술을 좋아하던 사람이었다. 하루는 우리 부모님이 여행을 떠나 '새벽까지 술을 먹을 수 있는 날' 선배가 우리 동네로 찾아왔다.

나에게 선배라는 존재는 '잘 보여야 하는 사람'이었

다. 그래서 예상치 못하게 그가 자꾸 내 옆자리로 옮겨 와 허벅지를 만져대도 뭐라고 말할 수가 없었다. 무엇보다, 부모님도 계시지 않는 상황에서 내가 도움을 구할 수 있는 사람이 없다는 게 너무 무서워 말 한마디를 못했다. 급기야 그는 우리 집으로 놀러가서 술을 먹자며 채근했고 내가 더 이상 거절을 할 수 없을 정도로 졸라댔다.

다행히 그 순간 생각나는 사람이 있었다. 나와 매우 친했던 남자 친구. 선배가 화장실에 간 틈을 타 벌벌 떨며 친구에게 전화했고 그는 새벽 늦은 시간임에도 불구하고 바로 달려와줬다. 그는 매우 직설적인 어투로 그 선배를 쫓아내고는 나를 집까지 데려다줬다. 그는 나의 구세주였다.

그런 친구였으니, 그 친구가 돌연 절교를 선언했을 때 나는 세상이 무너지는 것 같았다. 이유는 나를 좋아했기 때문이라고 했다. 좋아했으나 만날 수 없을 것이기 때문에 더 이상 가까이 지낼 수 없을 것 같다고 했다. 그날, 나는 하루 종일 울었다. 빗물에 눈물을 숨기고 온몸이 축축해질 때까지 울었다. 하지만 좋아하지 않는데 연애를 할 수는 없었다. 너무 아파서 이제는 사람에게 지나치게 마음을 주지 않기로 결심했다. 가장 친한 단짝 친구라도 갑작스레 떠나갈 수 있음을 절감했다.

한강의 시는 나에게 단단히 굳어버린 상처를 떠올리게 했다.

어떤 종류의 슬픔은 물기 없이 단단해서,
어떤 칼로도 연마되지 않는 원석과 같다

나에게 이 '원석'은, '이번에는 아닐 거야.' 철석같이 믿고, 또 '결국에는 똑같다'는 것을 깨닫는 일의 반복이다. 사람 사이의 의리와 애정에 대해 결국에는 불신하게 되는 일이 나의 슬픔이다. 내 불안을 확인 사살하듯, 이후 열두 해 동안 비슷한 경험이 반복되고 또 반복되었다.

스물의 나날, 그 깨달음을 망각하고 사람을 가까이 사귀었을 때, 뒷담화를 전해 듣기도, 따돌림을 경험하기도, 절교를 당하기도 했었고. 스물아홉의 나날, 우울증으로 아프게 되면서도 마찬가지. 내가 전가하는 우울의 짐이 너무 부담스럽다며 서서히 멀어진 10년 지기 친구도 있었다.

일련의 경험들로 나는 사람에 대한 불안을 감출 수 없게 되었다. 내가 불안한 마음으로 사람들을 불편하게 대해서 그렇게 되는 것일 수 있지만. 지금도 새로운 사람을 만나고 또 믿게 되는 건 두려운 일이다.

나에게 그 상처는 너무도 자주 다쳐 말랑하지도, '물기 있지도 않은' 단단한 아픔이다.

비면非眠의
일기

———

피치코니

———

레너드 코헨 **나의 시 책**

새벽은 싸움의 시간이다. 눈을 감으면 잠들지 않는 생각들이 나를 괴롭히고 눈을 뜨면 현실에 숨이 막힌다. 안대를 쓰고도 채 감지 못한 눈이 그대로 남아있다. 그 안에서 눈을 깜박일 때마다 불어나는 생각들에 갇혀, 눈을 감기에도 뜨기에도 두려운 새벽과 나는 매일매일 전쟁을 하듯 싸워댔다. 이 새벽이 불안한 이유는 지친 육신과 잠들지 못하는 정신을 어디 뉘어야 할지 모르기 때문이다. 이런 내가 할 수 있는 것은 가만히 누워 잠이 오기를 기다리는 일. 혹은 글을 쓰거나 좋아하는 시를 읽는 일뿐이었다.

이것은 내가 읽을 수 있는 유일한 시
나는 그 시를 쓸 수 있는 유일한 시인
모든 게 엉망이었을 때도
나는 자실하지 않았다
약물에 의존하려고도
가르침을 얻으려고도 하지 않았다

대신 잠을 자려고 애썼다
하지만 아무리 애써도 잠이 오지 않을 때는
시를 쓰는 법을 배웠다
바로 오늘 같은 밤
바로 나 같은 누군가가 읽을지도 모를
이런 시를 위해

레너드 코헨의 시를 읽어도, 읽어도 잠에 들지 못하고 그저 죽을까, 죽지 말아야 할까만을 고민하던 나는 우연히 들어간 동네의 한 정신과에서 날 질질 잡아끄는 문장과 마주하게 된다.

"살려줄게요."

충격적인 문장이었다. 그 어떤 의사도 자살이 꿈이라는 나에게 살려준다는 문장을 내뱉은 적은 없었다. 왜, 사람의 첫인상을 결정하는 데에는 단 3초면 충분하다지. 오랜 시간에 걸쳐 아주 견고하고 튼튼하게 지어놓은 내 세계에 금이 가게 한 문장도 단 하나였다. "살려줄게요." 어릴 적부터 상담센터, 대학 병원, 일반 병원을 드문드문 전전하며 약을 먹는 둥 마는 둥 하던 나는 이 다섯 음절에 붙잡혀 병원에 다녀보기로 결심한다. 그리고 매일 복용하게 된 두 봉지의 약이 주는 효과는 실로 엄청났다. 잡념과 불안이 사라졌고 잠에 들지 못해 괴로워하는 날들이 줄어들었다. 물론 모든 날들이 그러한 것은 아니었다. 자주 잘 잤고, 가끔은 여전히도 잠에 들지 못한다. 허나 확실히도 불면不眠은 아니다. 나는 이것을 비면非眠이라 부르기로 하였다. 데굴데굴 굴러가는 뇌를 붙잡고 제발 그만하라고 외치는 지친 육신과 멈추지 않겠다고 외치며 팔딱거리는 뇌가 싸움을 하는 것이 불면不眠이라면, 비면非眠은 지친 육신을 누인 채 뇌를 스스로 데굴데굴 굴려보는 것이다. 전자는 고통스럽고 후자는 고통스럽게 짜릿하다. 지칠 대로 지쳐 잠들고 싶은 육신과 그럼에도 잠들지 않겠다는 나의 두뇌 사이에서 뿜어져 나오는 문자들. 오늘도 비면非眠의 나는 깨어있기를 선택하고 문자들을 뿜어낸다. 바로 나 같은 누군가가 읽을지도 모를 이런 글을 위해.

세상과 편하게 지내는 방법

___

재은

___

사라 카우프먼 **우아함의 기술** 책

네모난 칸막이에 갇혀 있었다. 부족한 수면시간으로 인한 짜증, 운동 부족으로 말라붙은 아드레날린, 인내심을 앗아가는 러시아워의 대중교통과 업무 스트레스를 가장한 직장의 상하관계. 핸드폰과 모니터에 시선을 고정하고 구부정한 자세로 대부분의 시간을 혼자, 앉아서 보내는 동안 나는 몸의 감각을 잃어가고 있었다. 몸이 참 아팠다. 마음은, 돌아볼 겨를도 없었다. 마음이랄 게 없었다.

애니메이션 영화 〈월-E〉의 구식 쓰레기 처리 로봇 월-E는 거대한 폐기물 처리장이 된 지구를 떠난 인간들의 우주선에 여차저차 들어가게 되는데, 그곳에서 만난 우리 자손의 모습이 참 가관이다. 그들은 눈사람에 가까운 둥그런 몸매를 가져 눈사람과 마찬가지로 신체 활동이 불가한 수준이고, 미디어의 통제를 받으며 바로 곁에 있는 사람에 대해 무지한 채 살아간다.

당시의 나는 꼭 월-E 속 미래 인간들 꼴을 하고 있었다. 하루 종일 의자에 앉아 약한 허리가 무게를 지탱하다 결국 몸의 균형이 급격히 무너지기 시작하고서야 처절하게 깨달았다. 만성 우울, 쉽게 짜증 부리던 일들이, 인성에 문제가 있나 싶었던 모습들이 다 신체의 통증에서 비롯된 거였다. 한동안 삶이 통제 불가능의 영역으로 밀려났다고 생각했다. 스스로의 감정조차 통제가 되지 않았다. 타인에 줄 너그러움이란 없는, 세상에 조급하고 초조한 내가, 한심한 몰골을 하고 있는 거울 속의 모습이 싫었다.

"우아함은 세상과 편하게 지내는 것."

나는 첫눈에 〈우아함의 기술〉이라는 책이 마음에 들었다. 세상과 편하게 지낼 수 있다니, 그렇다면 우아한 사람이 되고 싶었다. 당시의 나는 일상에서 짜증을 걷어내고 타인에게 다정한 시선을 줄 수 있길 간절히 바라고 있었다. 말릴 새도 없이 순간적으로 짜증을 내고, 돌아서서 울었다. 못되고 지질한 내가 싫었다. 근데 좀 우아하려면, 그냥 회사를 그만둬야 돼. 그게 내 무책임한 디폴트 값이었다.

책에선 몸을 많이 사용할수록 우아해진다고 했다. 우아함은 몸에 대한 자기통제력에서 나오고, 그 통제가 역설적이게도 인간을 몸에서 해방시킨다고. 분위기에 반해 몇 번이고 다시 돌려보던 영화 〈빌리 엘리어트〉의 주인공 빌리는 춤을 춘다. 1980년대 영국, 광부 파업이 한창인 탄광촌 더럼에서 자란 그는 어려운 가정 환경이라는 외부의 통제 속에서 발레에 빠진다. 춤을 추는 시간만큼은 그의 말처럼 "흐르는 전기처럼" 완전한 자유, 세상에 대한 통제가 가능해진다. 내내 그 영화를 아름답다고 느꼈던 이유가 거기에 있었다. 저 완벽한 자유를 동경하고 있었다.

본인의 몸에서 자유롭지 못한 사람은 늘 자기검열에 시달린다. 어딘가 불편해 보이는 주저스러운 몸짓과 어색한 손짓, 가눌 곳 없는 시선. 내가 그랬다. 누군가의 앞에서 몸을 움직여 무언가를 한다는 게 어색했다. 내 몸이 마음 같지 않았고 그 마음이 몸에 갇혀 명령불복종하듯 부자연스러웠다. 스스로가 만든 감옥에 갇혀 기분은 늘 오르락내리락했고, 하루하루 버티기도 쉽지 않았다.

마음껏 춤출 수 있는 자유가 나에겐 없었다. 뺏긴 적 없으나 가지지 못했다. 조금 건강해져야겠다는 생각을 한 게 그 무렵이다. 돌아보면 마음이 어지러운 시간에 몸을 돌아보는 것이 좋았다. 몸과 마음이 따로인 적 없어서, 몸의 자유가 비좁은 나를 해방시켰다. 달리면 숨이 트인다는 사실이 새삼스럽게 기억났다. 아름답고 유익한 것들을, 누군가 말해주지 못하면 너는 영 기억해내질 못했다. 우리는 자유롭게 춤을 출 수 있을 때 세상과 조금 더 편해질 수 있다는 것도.

———

함께 추천하는 다른 작품들

스티븐 달드리 감독 **빌리 엘리어트** 영화, 2001
앤드류 스탠튼 감독 **월-E** 영화, 2008

나가며,

우울증을 겪은 이웃들의 이야기, 〈아무것도 할 수 있는〉을 엮은 지도 이 책이 나올 즈음이면 꼭 이 년이 됩니다. 〈아무것도 할 수 있는〉의 기획하던 2016년의 여름, 어떤 이야기들을 모으고 담을까 고민한 날이 있습니다. '위로'라는 키워드에서 예술 작품들은 빼 놓을 수 없다는 생각에, 책의 장 사이사이 '위로의 예술'이라는 부분을 작게 담았습니다. 우울증을 겪으며 위로가 되었던 책과 음악, 영화들을 추천 받은 부분입니다. 그 책을 읽으시며 그 작품들을 함께 찾아 읽고 듣고 보았다는 분들이 많으셨습니다. 그래서 이 부분만 모아 책을 만들어보면 어떨까, 하는 생각으로 책을 기획하고 쓰고 엮기 시작했습니다.

그저 "나 좀 이해해 달라" 말하고 싶어 만든 책이, 어느덧 마지막으로 여섯 번째 쇄를 찍고 새로운 출판사에서 소개될 예정입니다. 저는 이제 자신을 '책 같은 것을 만드는 사람'이라 소개하게 되었습니다. 많은 것들이 바뀌었습니다. 다만 제 자신은 여전히 자주 우울하고, 남들과 같이 평범하게 먹고 자고 사람들을 만나고 하루를 버티기는 어렵습니다. "나도 이제 모르겠다" 하는 생각에 마음은 조금 가벼워졌습니다.

　이 책을 엮으며, 이 년 전의 오늘과 마찬가지로 원고를 읽어내는 일에 때로 울었습니다. 어째서 우리는 이렇게 힘들어야 할까, 하는 생각으로 말입니다. 하지만 그때보다 조금 덜 울었습니다. 아주 조금 더 나아진 점은 '우리가 나아질 수 있을까?'에서 끝났던 이전의 책과 달리, '그럼에도 우리는 버텨 나간다', '함께 울고 위로할 수 있는 이들과 작품들이 있다' 하는 이야기들이 있었기 때문이 아니었을까 싶습니다.

　여러분들도 이 작품들과 함께 오늘 하루를, 그리고 내일을 무사히 버텨낼 수 있기를 바랍니다. 내일은 오늘보다 조금, 아주 조금만 더 행복하기를 바라며,

　2018년의 가을에,
　현경.

이 책에 등장하는
책과 음악, 영화들

영화   플로리안 헨켈 폰 도너스마르크 감독 **타인의 삶**

이와이 슌지 감독 **립반윙클의 신부**

김현석 감독 **광식이 동생 광태**

정재은 감독 **고양이를 부탁해**

데이비드 O. 러셀 감독 **실버라이닝 플레이북**

조나단 데이턴, 발레리 페리스 감독 **루비 스팍스**

알폰소 쿠아론 감독 **그래비티**

장 마크 발레 감독 **데몰리션**

야구치 시노부 감독 **스윙걸즈**

민규동 감독 **내 생애 가장 아름다운 일주일**

데이비드 O. 러셀 감독 **실버라이닝 플레이북**

음악   NELL **부서진 입가에 머물다** 2004

허클베리핀 **Everest** 2015

넉살 **작은 것들의 신** 2016

가을방학 **언젠가 너로 인해** 2013

짙은 **S.O.S.** 2017

이랑 **가족을 찾아서** 2016

심수봉 **백만 송이 장미** 1997

베란다 프로젝트 괜찮아 2010

종현 하루의 끝 2015

새소년 난춘 2018

박지윤 4월 16일 2009

신해경 다나에 2012

소란 참 이상한 날이야 2012

나이트 오프 오늘의 날씨는 실패다 2018

얼스바운드 신혼 2016

택(TAEK) 어딜 가든 나쁜 사람들은 있잖아요 2017

언니네 이발관 가장 보통의 존재 2008

도재명 토성의 영향 아래 2017

심규선 안 2018

피터팬 프로젝트 Old Street 2018

에피톤 프로젝트 선인장 2010

책   다자이 오사무 인간실격

신철규 지구만큼 슬펐다고 한다

라이너 마리아 릴케 젊은 시인에게 보내는 편지

미야자와 겐지 비에도 지지 않고

양귀자 모순

정현주, 윤대현 픽스 유

헤르만 헤세 데미안

에리히 프롬 사랑의 기술

한강 서랍에 저녁을 넣어 두었다

레너드 코헨 나의 시

사라 카우프먼 우아함의 기술

글쓴이 소개 글 등장에 따른 순서

재은

I only have youth which makes one an incurable romantic.

@jaen1126

김현경

사람들의 이야기가 궁금해 책 같은 것을 만들고 있습니다.
<아무것도 할 수 있는>, <F/25: 폐쇄병동으로의 휴가>, <취하지 않고
서야> 등을 쓰고 만들었습니다.

@vanessahkim

최경석

시력은 좋지만 안경을 쓰고 다닌다. 고상하진 않지만 아날로그적인
취향을 가졌으며 가수 검정치마를 좋아한다. 단편영화『출근길』을 만
들었고, 시집『이젠 네가 울 차례야』를 여럿이 쓰고 묶었다.

cks990207@gmail.com / @jiro_ma

홍성하

마음이 여름과 같기를 바라는 소망을 이름자에 매달고 태어났으나
장맛비의 눅눅함만을 간신히 닮은, 덜 자라고 겉늙은 91년생 남자.

호송
일상의 사소한 이야기들로 글과 영상을 만드는 작가

W
'W'는 내 별명 고래(whale)의 앞 글자를 따서 만들었다. 현재 서식지는 서울, 주요 출몰 지역은 대현동. 세상 이곳저곳을 헤엄치며 사람들의 이야기를 듣고 싶다.

홍유진
독립출판 레이블 狂傳社의 전속작가 겸 대표 겸 편집부장 겸 영업부장 겸 알바생. <망한 여행 사진집>, <사망 견문록>, 등을 만들었습니다.

피치코니
인생의 불확실성에 몸을 맡기다 보니 글을 쓰고 있었습니다.

우잉
날 괴롭히지 말아요.
dont_bother_me@naver.com
@arctium_

신지별

글 뒤에 숨어 사는 사람입니다. 굳이 실체를 알려고 하지 말아주세요.

심정은

소망했던 일을 2년 정도 했었지만 행복하지 않아 그만 둔 상태이고, 이것저것 해보면서 다시 찾고 있어요. 꼭 행복해지고 싶어요.

탈해

노는 걸 너무 좋아해서 큰일인 대학원생. 논문 주제와, 무엇보다도, 먹고 살 길을 게으르게 모색중인 머리 탈해돌.

아름

잘 지내고 있습니다.

남연오

스물여덟 해를 모범생으로 착실하게 살다가, 스물아홉째 해에 우울증을 맞이했습니다. 이제야 비로소 '나'로 사는 게 무엇인지 알아가기 시작한 사람입니다. 올해의 마지막을 향해가고 있는 지금 다시 우울증의 바닥을 보고 있지만, 어제보다 오늘 조금 더 단단해졌다고 믿고 싶습니다.

망가진 대로 괜찮아요

글

재은
홍성하
우엉
신지별
피치코니
호송
남연오
김현경
심정은
아름
최경석
탈해
홍유진
W

기획·편집 **김현경 송재은**
교정·교열 **다미안**
일러스트 **전인범**
디자인 **김현경**

펴낸곳 **warm gray and blue (웜그레이앤블루)**
홈페이지 **warmgrayand.blue**
이메일 **warmgrayandblue@gmail.com**
인스타그램 **@warmgrayandblue**

초판 1쇄 펴냄 **2018년 10월 20일**
초판 4쇄 펴냄 **2022년 7월 1일**

ISBN **979-11-962358-2-6**

* 이 도서의 국립중앙도서관 출판예정도서목록(CIP)은 서지정보유통지원시스템 홈페이지
  (http://seoji.nl.go.kr)와 국가자료공동목록시스템(http://www.nl.go.kr/kolisnet)에서
  이용하실 수 있습니다. (CIP제어번호: CIP2018032189)

* 이 책의 내용의 전부 또는 일부를 재사용하려면 펴낸이를 통한 저작자의 동의를 받아야 합니다.

* 본 출판물에는 Unlimited Edition 10: 서울 아트북 페어를 통해 후원받은 산돌구름의
  '산돌명조네오' 서체가 사용되었습니다.